Cómo cura
la meditación

Cómo cura
la meditación

MARTINA
GLASSCOCK
BARNES

 integral

1735   7723   1

Título original: *The Meditation Doctor*
Autora: Martina Glasscock Barnes
Traducción: Daniel Menezo
Diseño de interior: Gemma Wilson
Ilustraciones: Kang y Trina D.
Fotografías: Sian Irvine
Diseño de cubierta: La Page Original
Composición: Anglofort, S.A.

Originalmente publicado en el Reino Unido
el 2004 por Collins & Brown Limited

Primera edición: setiembre 2005

ISBN: 84-7871-293-3
Ref. OAGO120

Índice

Primera parte: Técnicas básicas   13

Segunda parte: Técnicas terapéuticas   37

Tercera parte: Técnicas de mejora   93

Prefacio

Hace casi 40 años, Maharishi Mahesh Yogi enseñó a los Beatles a meditar y fue entonces cuando la meditación empezó a popularizarse en el mundo occidental. La práctica de la meditación es muy antigua. Podemos concluir sin lugar a dudas que se practicaba hace ya aproximadamente 2000 y 3000 años, en la tradición hindú. Algunos expertos piensan que sus orígenes se remontan a la prehistoria, cuando los chamanes y las tribus de cazadores-recolectores recurrían a la meditación, hace ya muchos miles de años.

A medida que sigue aumentando la popularidad de la meditación como parte de numerosas prácticas espirituales, tradicionales o no, el mundo es consciente cada vez con mayor rapidez de lo útiles que resultan las técnicas meditativas en el campo del bienestar físico y psíquico. La experiencia clínica directa de miles de asistentes sanitarios y un creciente número de obras científicas respaldan esta opinión.

Cada vez está más claro que los efectos de la mente sobre el cuerpo y de éste sobre la mente son tan profundos que, desde el punto de vista médico, ya no es útil considerar ambas cosas como elementos aislados. La mayoría de personas admite que el modo en que alimentamos nuestros cuerpos y las otras maneras en que los cuidamos tienen un poderoso efecto sobre nuestra forma de pensar y de sentir. También es cierto que lo que suceda en nuestra mente tiene un tremendo impacto sobre nuestra salud física.

El uso de la relajación, la meditación, las imágenes guiadas y otras técnicas relacionadas está a nuestra entera disposición. No hace falta apuntarse a una nueva filosofía ni religión, retirarse a un monasterio o dedicarse a ninguna práctica meditativa oriental. Para beneficiarse de la meditación no hay que tener una edad específica, ni ser rico, creativo, fuerte o cualquier otra cosa.

Las técnicas son perfectamente accesibles y pueden practicarse siempre que dispongamos de un entorno tranquilo (en el trabajo, el hogar o durante las vacaciones). Cuando se practican regularmente, incluso una mera respiración bien concentrada puede proporcionarnos una considerable tranquilidad. Esos momentos en que detenemos el coche en un semáforo o hacemos cola en un supermercado pueden ser ocasiones para recurrir a esta minirrelajación.

Llevo más de 20 años practicando la psiquiatría general. La gente acude a mí en busca de la faceta «médica» de su tratamiento (lo cual quiere decir, por lo general, que esperan que les recete alguna medicación). Independientemente de los motivos por los que acuden a verme (una tristeza irresuelta, enfermedades crónicas graves o desórdenes obsesivo-compulsivos), casi siempre surge la pregunta de cómo resolver mejor el estrés. Decirles «Que no les angustien las cosas pequeñas; y recuerden: son pequeñas» es un buen consejo, pero ¿cómo se puede conseguir? Cuando los niños están alborotados, cuando alguien nos cierra el paso en la carretera y casi nos mata, o cuando uno está preocupado porque el dinero no le llega, ¿cómo es posible encontrar un espacio de paz? Muchos de los agentes estresantes son ineludibles. Muy a menudo, nuestra primera reacción ante ellos consiste en una ira creciente, que llega incluso a la rabia incontrolada. Inmersos en esta actitud, a menudo reaccionamos mal, sin pensar con claridad, y nos vemos envueltos en una situación incluso más estresante que la original. Por supuesto, esto acrecienta los síntomas «mentales» de los problemas que trato, por no hablar de los síntomas «somáticos», como el aumento de la presión sanguínea, la acidez gástrica y la tensión muscular, por sólo mencionar unos pocos.

Para abordar esta necesidad, en mi consulta frecuentemente enseño una técnica de relajación meditativa. Dado que llevo más de 35 años practicando la meditación bajo una u otra forma, tengo una gran confianza en su capacidad de producir un cambio intenso y duradero en el modo en que abordamos los acontecimientos estresantes, aparte de un efecto positivo en nuestro «nivel de estrés de fondo» o nuestras actitudes. Intento enseñar a mis pacientes que lo que realmente puede perjudicarnos, o por el contrario ayudarnos a crecer, no es el estrés, sino nuestra manera de responder a él.

Recuerdo muchas historias sobre los beneficios que tuvo en mis pacientes la práctica frecuente de la meditación. Hay una que destaca en particular debido a mi falta de confianza en la capacidad de mi paciente de curarse mediante esta técnica. La primera vez que vi a esta persona estaba confinada en una unidad psiquiátrica, donde la habían hospitalizado contra su voluntad tras un episodio psicótico que incluyó un estallido de furia que puso en grave peligro a su familia. Dado su historial, me parecía improbable que aquella mujer pudiera seguir conviviendo con su familia y su comunidad sin recurrir al uso, por tiempo indefinido, de fármacos antidepresivos y antipsicóticos. Sin embargo, durante el tiempo que pasó en el hospital la sometimos a una dieta alimenticia concreta (sana, vegetariana, nada fuera de lo normal) y a sesiones de meditación. Una vez la dieron de alta en el hospital, ella nos pidió enseguida que le redujéramos la medicación, lo cual me planteó la elección entre hacerle un seguimiento y reducirle la medicación demasiado pronto (o eso pensaba yo) o dejar que ella lo hiciera todo. Opté por hacerle un seguimiento, imaginándome que al menos lo tendría más fácil para prestarle ayuda cuando recayese. Nunca lo hizo. Cinco años después, y tomando una dosis mínima de medicación, sigue estando bien. No sugiero que la meditación, por sí sola, constituya un tratamiento aislado razonable para abordar la psicosis, pero en el caso concreto de aquella mujer la mejora fue realmente impresionante.

En muchos sentidos, lo más relevante son los ejemplos más cotidianos que veo cada día, situaciones en las que los pacientes abordan de una manera más sana sus conflictos o se enfrentan con éxito a sus pensamientos negativos. Son anécdotas que tienen lugar constantemente, con poco bombo y platillo, y resultan tremendamente sanadoras. Mis propias observaciones respaldan lo que cada vez demuestra más la literatura científica: las personas que usan estas técnicas mejoran progresivamente. Su mejora perdura y, a menudo, sienten una menor necesidad de medicarse.

Martina Glasscock Barnes, con *Cómo cura la meditación*, hace una contribución importante y oportuna a los libros sobre técnicas psicosomáticas a los que tiene acceso el gran público. En su calidad de practicante, y siendo como es una estimulante maestra de técnicas de meditación, Martina aborda un tema vasto y complejo y lo fundamenta con técnicas que son prácticas y van directas al grano. El libro está muy bien escrito y resulta fácil de entender.

Extrayendo material de numerosas fuentes y tradiciones, *Cómo cura la meditación* será una lectura agradable para personas con una amplia variedad de trasfondos y necesidades. Si usted desconoce el mundo de la meditación y la relajación, este libro es un buen punto de partida. Los meditadores veteranos se beneficiarán de las técnicas específicas y centradas en las enfermedades que Martina enuncia con tanta claridad. La autora ha hecho un excelente trabajo condensando estupendamente los elementos esenciales de la meditación, plasmándolos en técnicas concretas destinadas a resolver enfermedades comunes que, según se sabe, responden bien a la meditación.

Según la literatura científica, las personas deprimidas manifiestan una importante disminución de la recidiva cuando se añade la meditación a su tratamiento. Las técnicas aquí empleadas para tratar la depresión abordan eficazmente componentes clave que pueden contribuir a ella. Se ha demostrado que la ansiedad, una respuesta natural al estrés, se ve tan influida por la práctica diaria de la meditación como por la medicación, pero sin tener que gastar dinero en fármacos y sin efectos secundarios. El uso regular de las técnicas de relajación contenidas en *Cómo cura la meditación*, además de las específicas para aliviar la ansiedad, prometen ser altamente eficaces a la hora de reducirla y controlarla.

Las migrañas también han demostrado responder bien a las técnicas de meditación y relajación que ofrece este libro (otra anécdota: una médico de familia amiga mía, que no toleraba o no respondía bien al tratamiento típico para sus migrañas, ahora mejora usando una técnica muy parecida a la que Martina describe en estas páginas). Esto también es así en el tratamiento del dolor crónico: en ocasiones, cuando se emplea un programa de meditación, se puede reducir el número de fármacos o incluso discontinuar su administración. Cuando se emplean regularmente, las técnicas contra el dolor crónico ofrecen esperanza y manifiestan su potencial para aliviarlo. La meditación mejora la respuesta inmunológica, como lo demuestra el aumento en la producción de anticuerpos tras las inyecciones contra la gripe, aparte de estudios que demuestran el aumento de células antitumorales en pacientes con cáncer. El tiempo invertido en potenciar la respuesta del sistema inmunológico no es tiempo perdido. La eficacia de la meditación para tratar la hipertensión (la elevada presión sanguínea) está bien documentada. La lista de beneficios potenciales es casi interminable e incluye su uso en enfermedades no relacionadas entre sí como las ulcerosas, la cardiopatía crónica, el déficit atencional, el síndrome de colon irritable, las migrañas y dolores de cabeza producidos por la tensión, la conducta antisocial y el asma.

Lo que ya es más difícil de definir y medir es la profunda sensación de paz, vitalidad y bienestar de la que hablan muchos practicantes de técnicas de meditación. Esta experiencia suele comenzar durante las sesiones meditativas y va extendiéndose a medida que se continúa practicando. Resulta difícil de describir y, para mí, constituye la esencia de la experiencia meditativa.

Apacigüe su mente, abra el corazón y disfrútese.

Ken Lewington MD

Introducción

La meditación, bajo una u otra forma, es una práctica ancestral que hallamos en todas las culturas y religiones. La mayoría de culturas antiguas compusieron himnos, cantos y rituales para manipular la consciencia, de modo que ésta se conectase con un poder superior. A menudo, tales técnicas se centraban en el sonido. Por ejemplo, los nativos norteamericanos emplean cantos ceremoniales parecidos a los mantras hindúes (palabras repetidas para alcanzar un estado mental alterado) como forma de meditación oracional.

Existe una riquísima cantidad de cantos gregorianos. Los católicos disponen de música sacra, usan ensalmos y palabras repetitivas cuando recitan el Ave María o pasan las cuentas del rosario. Los cristianos emplean las oraciones, los cánticos devocionales y la meditación de las Escrituras. La Cábala hebrea recurre al encantamiento. Estas costumbres orales nos proporcionan un estupendo tesoro de conocimientos. Tales enseñanzas se han traducido en diversas formas de meditación.

Las técnicas contenidas en *Cómo cura la meditación* extraen elementos de distintas tradiciones culturales, incluyendo el budismo tibetano y zen, los rituales de los indios norteamericanos, el yoga Kundalini, tántrico y Hatha, las meditaciones basadas en el hinduismo, el cristianismo esotérico, la Cábala judía, el chi gong taoísta y el Huna polinesio.

Técnicas básicas

El vínculo cuerpo-mente

La medicina y la filosofía orientales han sabido durante siglos lo que la medicina occidental sólo recientemente ha empezado a comprender y a aceptar con certidumbre científica: que el cuerpo y la mente no pueden separarse. El estado de la mente afecta al cuerpo, y el estado del cuerpo influye en la mente. Ambas esferas se encuentran en un estado constante de comunicación.

La influencia de la mente es tal que la psicología puede convertirse en fisiología. Por ejemplo, cuando un individuo percibe un peligro, los pensamientos de temor se traducen en respuestas bioquímicas. El cerebro libera hormonas de presión, activando la respuesta defensiva «lucha o huye». La muerte de un ser querido puede activar esta misma respuesta bioquímica, sumiendo el cuerpo y la mente en un intenso estado de alerta. Cuando una persona pierde su trabajo, se produce una reacción parecida.

Si ese estado de alerta intensa se perpetúa, puede convertirse en un estrés mental o emocional crónico. Éste, a su vez, puede conducir a la depresión, la fatiga y un sinnúmero de otros síntomas físicos. Sin embargo, lo contrario también es cierto. Los pensamientos positivos inducen unas reacciones somáticas curativas. Mantener un punto de vista positivo, pensar en alguien a quien amamos o participar en una actividad que nos gusta estimula el cerebro para que produzca endorfinas, los analgésicos naturales del cuerpo.

A medida que entendemos el papel que puede jugar la mente en la curación, estamos buscando maneras de fortalecer el vínculo psicosomático como forma de controlar nuestra salud. La meditación es un medio poderoso y natural que fomenta la comunicación entre el cuerpo y la mente para alcanzar la salud y el bienestar. El cuerpo posee una inteligencia inherente y nunca deja de intentar alcanzar la homeostasis (el equilibrio). Por medio de la meditación, el cuerpo recupera el equilibrio interior e, instintivamente, se conecta con el «plan» original del bienestar para sanarse.

Espero que las meditaciones contenidas en este libro le parezcan inteligentes, reflexivas y lógicas. Si bien es posible que estas técnicas no «curen» una disfunción o

enfermedad, pueden trasladar al practicante a un nivel más elevado de curación. La sanación no es un sinónimo de la cura. Sanar, esencialmente, significa alcanzar la «plenitud». La sanación puede ser la consecución de un nivel más alto de plenitud y de restauración de lo que jamás antes conocimos.

Buena salud

Los caracteres chinos que significan «buena salud» combinan los símbolos que significan «persona de pie» y «movimiento» con «agua», que nos nutre y nos enseña a fluir. La nutrición, el movimiento y la actitud correctos producen una buena salud.

Algunos consejos para forjar un vínculo sano entre cuerpo y mente

- Aprenda a escuchar los mensajes internos que le envía su cuerpo y respete los momentos dedicados a comer, aminorar el ritmo, descansar o jugar.
- Siga una dieta nutritiva.
- Beba mucha agua: de 8 a 10 vasos al día.
- Identifique las cosas que crean presión en su vida y decida si algunas pueden reducirse o eliminarse.
- Evalúe sus compromisos. ¿Realmente valen la energía que les dedica?
- Cuidado con las expectativas a que se somete. Que sean realistas.
- Distribuya el tiempo para usarlo como desee.
- Reduzca los estímulos externos. Por ejemplo, lea un libro en lugar de ver la televisión.
- Busque tiempo para repasar y reflexionar sobre sus elecciones cotidianas.
- Dedíquese a actividades que sean placenteras, que le gusten mucho.
- Busque tiempo para la contemplación, la oración, la visualización o la meditación.
- Mantenga una actitud de optimismo realista.

La fuerza vital universal es esa fuerza vital que sostiene toda vida. Es la inteligencia superior que embebe toda la materia, animada e inanimada, por todo el universo, y que fluye por ella. Esta fuerza universal, suprema y animadora, es la que nutre la vida. Se considera que posee las cualidades de armonía, equilibrio, compasión y amor incondicional.

La fuerza vital universal

La fuerza vital universal tiene muchos nombres. En la filosofía india, el nombre en sánscrito es *prana*. Dentro de la cultura china, la esencia de la vida se llama *qi* o *chi*. La tradición judía mística de la Cábala denomina «luz astral» a esa fuerza que anima al cuerpo humano. En Occidente, las palabras fuerza vital, fuerza de la vida, aliento de vida, o espíritu hacen referencia a esta fuerza vital universal. En este libro hablaré de ella llamándola *chi* o energía.

El chi es la fuerza energética omnipresente que da y mantiene la vida. Se encuentra en todos los átomos, desde la más pequeña de las células microscópicas dentro del cuerpo hasta los billones de estrellas en nuestro universo en expansión. Todo está formado de energía. Vivimos en un mar de chi, con todos sus puntos interconectados. Las leyes universales, que gobiernan la energía, se pueden entender como un sistema jerárquico. Esta jerarquía va desde la matriz energética más densa a la más sutil. El cuerpo puede entenderse como un reflejo en miniatura del universo, dado que contiene una matriz física densa gobernada por una gama de sutiles niveles energéticos.

Las posturas del yoga y las técnicas meditativas tienen una influencia positiva sobre la energía de estos cuerpos sutiles, y nos permiten realizar caminos positivos físicos, emocionales y mentales. Por ejemplo, cuando adoptamos una postura de yoga, se potencia el movimiento de los fluidos corporales por el sistema circulatorio. Del mismo modo, la meditación puede inducir cambios bioquímicos en el cuerpo, que dan pie a una respuesta de relajación.

La relajación es un antídoto esencial contra el estrés. La palabra *relax* proviene del verbo latino *relaxare*, que significa «soltar». La relajación origina un profundo descanso en el que no hay movimientos ni esfuerzos y en el que el cerebro se sume en la tranquilidad. Esta relajación da como resultado unos cambios fisiológicos profundos y positivos. La relajación hace disminuir el ritmo cardíaco, la presión sanguínea, el ritmo respiratorio, la tensión muscular, el índice metabólico y el consumo de oxígeno.

Los centros vitales del cuerpo

Según la filosofía oriental, el cuerpo contiene un complejo sistema de centros energéticos sutiles que juegan un papel fundamental en la salud de las facetas física, emocional, mental y espiritual de la persona. Cuando un individuo está sano en todos esos niveles, los centros giran en armonía y mantienen un equilibrio interior. La palabra en sánscrito para estos centros energéticos es *chakra*, cuyo significado deriva de las palabras «rueda en movimiento». En ocasiones se habla de estos chakras como «ruedas de luz».

En el cuerpo etéreo (energía) y el físico disponemos de siete chakras o centros energéticos principales. Estos centros se alinean verticalmente bajando por la columna vertebral y están compuestos de filamentos de energía de alta frecuencia que el ojo del místico detecta en forma de luz. Desde la parte inferior de la columna, y subiendo hacia la cabeza, los chakras son la base, el sacro, el plexo solar, el corazón, la garganta, las cejas y la coronilla. Estos chakras se interpretan como ruedas luminosas que contienen pequeños vórtices rotatorios o pétalos. Así, se habla de tales centros como flores de loto, cuyo número de pétalos va desde cuatro en el centro de la raíz hasta mil en el centro de la coronilla. Los individuos iluminados, como Buda o Cristo, pueden activar la luz de los mil pétalos, creando así un halo de luz en torno a su cabeza.

Los centros de energía de nuestro cuerpo son vitales para equilibrar nuestro mundo interior con el entorno exterior. Absorben la fuerza vital universal y funcionan como vías para recibir energía, metabolizarla y distribuirla por los plexos nerviosos principales más cercanos a cada chakra. La fuerza vital se traduce en impulsos nerviosos dentro del sistema nervioso central y las glándulas endocrinas, que distribuyen la fuerza vital a los órganos principales del cuerpo. La salud del sistema de chakras depende del estado físico, emocional, mental y espiritual del individuo.

Existen diversas maneras en las que se puede desequilibrar, estropear o bloquear el sistema de chakras. El miedo, la ansiedad, los problemas emocionales, una pérdida dramática o los cambios importantes en nuestra vida pueden generar una perturbación en el flujo energético. La tensión es una culpable directa. El estrés crónico puede nacer del mero hecho de llevar una vida exigente y frenética. Lamentablemente, esto puede hacer que el sistema de chakras y, por tanto, el sistema nervioso se estimulen excesivamente y de forma crónica. El efecto general es que el cuerpo se agota, se vacía de energías. Esto puede generar una enfermedad y conducir a la incapacidad de respaldar las capacidades emocionales y mentales adecuadas.

La meditación regular, unida al descanso, una alimentación correcta y el ejercicio regular, contribuye a equilibrar estos centros vitales.

Sahasrara
Coronilla

Ajna
Ceja

Vissuddha
Garganta

Anahata
Corazón

Manipura
Pancreas
Plexo solar

Swadisthana
Sacro/encima
del bazo

Muladhara
Base/genital

Cómo empezar

¿Qué son la meditación, la imaginería y la visualización?

Las prácticas meditativas varían dependiendo de las tradiciones culturales. La meditación es un proceso mental consistente en sumir el cuerpo físico en un estado de relajación para alcanzar un profundo estado de concentración que da origen a la calma, la estabilización de la atención y la intensidad perceptiva.

La meditación puede ser concentradora, a la que los budistas llaman práctica *samadhi*, o penetrante, conocida como práctica *vipassana*. La meditación puede ser activa o pasiva. En general, la meditación occidental tiende a ser activa, mientras que la oriental suele ser pasiva o receptiva. La visualización/imaginería guiada es una forma de meditación en la que el individuo alcanza una percepción y una sensibilidad aumentadas a través de la concentración y la intención dirigidas. Esta experiencia puede incluir todos los sentidos, no sólo la vista. El practicante puede imaginar algo con el ojo de su mente, así como partiendo de sensaciones físicas, auditivas o táctiles.

La meditación sanadora pide al individuo que se concentre en técnicas específicas para conseguir los resultados deseados, como un aumento de la comunicación entre la mente y el cuerpo, la reducción del dolor o la potenciación de la respuesta inmunológica. Las meditaciones curativas de este libro se centran en aumentar la energía vital, así como en desplazar los bloques energéticos que contribuyen a la enfermedad en referencia a los centros de energía (hindúes), meridianos de energía (chinos) o estados de concentración, intención e imaginería (occidentales).

Para practicar la meditación no es necesario adoptar ninguna religión o filosofía concretas. Las técnicas no pretenden competir con su filosofía actual, ni sustituirla, sino sencillamente aumentar la conexión entre su mente y su cuerpo. Si dispone de una filosofía religiosa o espiritual, la meditación puede potenciar y profundizar su vínculo con sus ideales espirituales y su poder superior.

Las técnicas meditativas incluidas en este libro no pretenden diagnosticar ni curar problemas ni enfermedades físicas, emocionales o mentales. Su propósito es el de usarlas junto con el tratamiento convencional para aumentar sus efectos beneficiosos.

- La meditación no es sustituto de una correcta asistencia sanitaria.
- Consulte a su médico o autoridad sanitaria antes de empezar los ejercicios descritos en este libro.
- Si sus síntomas se agravan o empeoran al usar estas técnicas, deje de practicarlas y consulte con su médico.
- No se dedique a la meditación si recientemente ha padecido una enfermedad emocional o mental.

Cómo usar este libro

La primera parte del libro presenta algunas técnicas básicas de meditación que pueden usarse aisladamente o en combinación con las otras técnicas terapéuticas. La segunda parte incluye técnicas destinadas a aliviar molestias físicas. La tercera aborda las disfunciones psicológicas que pueden tener repercusiones somáticas.

Los iconos que encabezan cada ejercicio indican dos grados de dificultad. Bajo el encabezado del Nivel se incluye una breve descripción del grado de dificultad. En general, el Nivel 1 está destinado a los principiantes, dado que puede ejecutarse sin dificultad. El Nivel 2 es un grado superior, que le da la oportunidad de abordar la enfermedad a un nivel más profundo.

El Nivel 2 a menudo requiere la capacidad de mantener la concentración y el centrado. Esta habilidad puede mejorar a base de prácticas y repeticiones. Se recomienda que se familiarice con las técnicas básicas de la primera parte, así como con las de concentración y centrado y las de centrado y equilibrio interior. Esto le dotará de un fundamento firme para todas las demás meditaciones del libro.

En cada encabezado señalado por un icono encontrará una referencia cruzada. Esta indica qué técnica debe usarse con la meditación, recomienda una técnica concreta de respiración o la adopción de una postura de manos o cuerpo concreta. Use el índice para localizar estas técnicas. Busque «Remedios rápidos» si lo que desea es un ejercicio sencillo y breve. Si usando los remedios rápidos no obtiene el resultado deseado, intente practicar otra meditación incluida bajo el mismo encabezado.

Lea varias veces la descripción de la técnica que desea utilizar. Luego grábela en una casete o pida a alguien cuya voz le resulte agradable que se lo grabe. La práctica repetitiva le permitirá activar estas técnicas mediante la memoria.

Si es la primera vez que visualiza o medita, los siguientes consejos pueden resultarle útiles:

- Busque un lugar tranquilo donde meditar, libre de distracciones.
- Descuelgue el teléfono.
- Si en algún momento no se siente a gusto, concluya la visualización o la postura e inténtelo más tarde.
- Practique una técnica de forma regular. Si su problema es crónico, intente practicar una meditación concreta 21 días seguidos.
- Anote sus experiencias en un diario.
- Tenga paciencia consigo mismo y trátese bien.

La meditación puede llevarse a cabo en una postura sentada, estática, o bien adoptar la forma de un movimiento, como el yoga, el tai-chi o el chi gong. Este libro incluye algunas técnicas para estar quieto y otras para practicarlas en movimiento.

También podemos decir que estas técnicas tienen una naturaleza concentradora o receptiva. Un enfoque concentrador es aquel en el que concentramos la mente en una dirección determinada. Un enfoque receptivo es aquel en el que el practicante cultiva las cualidades de la consciencia y la observación. Las técnicas concentradoras centran la mente para sanar dolencias concretas. Las técnicas receptivas ayudan a la mente y al yo interior para que se abran a nuevas percepciones y paradigmas, con objeto de sanar el cuerpo.

Para la meditación es esencial disponer de una actitud mental adecuada. Procure borrar las expectativas sobre los resultados de la meditación y céntrese en cambio en el compromiso y la intención que invierte en las diversas posturas y técnicas. La meditación es una experiencia sensorial antes que intelectual, lo cual la convierte en algo muy subjetivo. Conseguir estados de meditación es un proceso constante y dividido en capas, como pelar una cebolla. Con la práctica constante descubrirá las capas más profundas de la cebolla.

Aborde la meditación sin expectativas preconcebidas sobre el éxito o el fracaso. Esto le permitirá estar abierto a la experiencia. Mantenga una mente positiva, abierta. Para disfrutar de una hermosa cosecha, plante en su mente unas buenas semillas: la curiosidad, la tranquilidad, la apertura y la paciencia.

A lo largo del libro, los puntos suspensivos (...) en las secuencias de meditación indican que debe hacer una pausa en el ejercicio.

Posturas básicas para sentarse

Para empezar a practicar la meditación, elija la postura que le resulte más cómoda. No es necesario que sea capaz de sentarse en la postura oriental tradicional. Es más importante que descubra una postura que le permita a su cuerpo estar relajado y sentirse a gusto. Tanto si opta por sentarse en una silla como en una alfombrilla en el suelo, la postura correcta permitirá que la energía universal fluya correctamente por la cabeza, las manos, los pies y por toda la columna vertebral.

La postura egipcia modificada

Los antiguos egipcios meditaban en una postura erguida, como si estuvieran sentados en una silla de respaldo recto. El practicante podía sentarse en una roca con los pies sobre el suelo, con las manos descansando sobre el regazo, los ojos abiertos y la mirada fija en un punto delante de su cuerpo.

La postura egipcia modificada puede resultar de lo más cómoda, dado que permite que la columna esté recta y bien asentada. Es importante que mantenga la postura correcta mientras esté sentado. Esto abre el diafragma, lo que permite que el oxígeno fluya libremente y potencie el flujo del chi por todos los centros energéticos de la columna.

Elija una silla con respaldo recto. Siéntese con la espalda bien recta y los pies firmemente apoyados en el suelo, a la distancia natural de la cadera. Estire suavemente sus hombros hacia atrás y hacia abajo. Esto elevará y abrirá levemente su pecho, permitiendo que su energía sea receptiva. Apoye las manos suavemente sobre el regazo, con las palmas hacia arriba. La posición de manos abiertas simboliza la apertura y crea una vía para que la energía sanadora fluya bajando por los brazos y penetre en el aura (el campo de energía humana). Mantenga la cabeza recta con la barbilla ligeramente proyectada para que el paso del aire no encuentre obstáculos. Cierre los ojos sin hacer fuerza con los párpados.

Postura en el suelo

Las posturas sentadas orientales tradicionales no ofrecen un punto de apoyo para la espalda. El practicante se sienta sobre un cojín, como por ejemplo un *zafu*. Si necesita apoyar la espalda, pruebe con una silla de meditación llamada Back Jack. Esta silla le permite sentarse en un cojín en el suelo, pero tiene un respaldo incorporado sobre el que descansar la espalda. Este tipo de silla se puede comprar por internet, en las tiendas de aparatos ortopédicos o en las dedicadas a suministros para yoga.

Si no tiene problema para sentarse en el suelo sin apoyar la espalda, necesitará una alfombrilla o un cojín para suavizar el contacto con el suelo. Experimente con diversas posturas para decidir con cuál de ellas se siente más cómodo. Las posturas que describimos a continuación son las más populares entre los occidentales.

Talones juntos

Siéntese en una alfombrilla con las piernas ligeramente cruzadas, pero sin meter una debajo de la otra. Junte los talones, de modo que el izquierdo y el derecho estén alineados. Esta disposición dirigirá la energía hacia el centro raíz de energía (chakra) situado en la base de la columna. El centro raíz constituye el fundamento del sistema energético corporal y es lo que fomenta el bienestar.

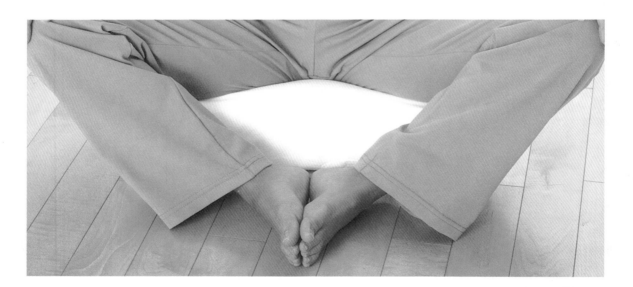

El estilo japonés

Siéntese sobre un cojín firme con los talones situados
bajo las nalgas. Esto ofrece una base firme para mantener
el equilibrio, si bien puede generar presión sobre las
rodillas.

Con las piernas cruzadas

Simplemente, siéntese en el cojín con las piernas
cruzadas una sobre otra. Si siente tensas las caderas,
es posible que le ayude colocar una toalla extra bajo
los glúteos. Esto hará que su hueso sacro se proyecte
ligeramente hacia delante, fomentando que la espalda
mantenga la línea recta. Descanse las manos en el
regazo, formando un hueco con ellas, o colóquelas
sobre las rodillas con las palmas hacia arriba.

Las posiciones de las manos

A lo largo de los tiempos, las manos se han usado para orar y para simbolizar la comunicación del individuo con un poder sobrenatural o cósmico. En la meditación, las posiciones de las manos tienen diversos significados y juegan un papel importante para contribuir a la sanación. Podemos entender las manos como un símbolo del yo interior o como una forma de conectar con el flujo de la energía universal. Dentro de las tradiciones occidentales, la posición que más conocemos es la de la oración, en la que las palmas de ambas manos se juntan con los dedos apuntando hacia arriba.

Vaya experimentando con diversas posiciones de las manos para descubrir cuál es aquella que más le agrada.

Manos abiertas

Esta posición simboliza la apertura y crea una vía para que la energía curativa fluya bajando por los brazos y penetre en el aura (el campo de energía humana). Deje que las manos estén relajadas y descansen sin tensiones en el regazo o colóquelas sobre las rodillas con las palmas hacia arriba.

Las manos en forma de copa (Gesto meditativo o Dhyana mudra)

La mano derecha representa la cualidad yang de lo masculino y la mente. La izquierda representa la cualidad yin de lo femenino y el corazón. La mano derecha descansa sobre la palma abierta de la izquierda para representar la mente que se somete a la sabiduría del corazón. Las manos forman un círculo. Esta posición suele usarse, normalmente, en la meditación budista para simbolizar la mente sumida en un estado de calma y concentración.

El mudra del conocimiento (Gyana mudra)

Las tradiciones yóguicas budista e hindú usan un lenguaje de signos sagrado para transmitir las diversas intenciones durante la meditación o la danza sagrada. Estas posiciones sagradas de las manos se llaman *mudras*. Un mudra puede realizarse con una mano o con las dos. El mudra ayuda a sellar la energía del practicante en un estado de concentración.

La posición de las manos más frecuente, dentro de la meditación en general, se llama Gyana mudra. El índice y el pulgar de cada mano se tocan, formando un sello energético que simboliza la plenitud (véase la foto inferior).

Para formar el Gyana mudra receptivo, la uña del índice debe colocarse bajo el pulpejo del pulgar. El símbolo Gyana receptivo representa «invitar al maestro» y se usa para invitar al sanador que llevamos dentro. Significa la unión de las consciencias individual y universal. El círculo formado por los dedos en contacto representa el «nacimiento» y simboliza la búsqueda de conocimiento y la nueva consciencia.

La respiración básica

La concentración de la respiración es un elemento universal y esencial para la práctica con éxito de la visualización y la meditación. La palabra respiración proviene del griego *psyche pneuma*, que significa «aliento», alma, aire y espíritu vital. Respirar es un acto vital para nuestra existencia y está íntimamente vinculado con nuestra salud y nuestro bienestar. Sin embargo, hay muchas personas que no son conscientes de la importancia que tiene respirar bien y lo consideran un acto mecánico. Sometidos a las exigencias de las agendas urgentes, desarrollamos patrones de respiración insuficientes y respiramos de una forma somera e incompleta. La restricción respiratoria disminuye en gran medida el flujo de la energía vital que es esencial para la salud y el bienestar.

La respiración consciente es un tremendo recurso para renovar y potenciar la energía vital. Respirar es el medio primero para reunir y utilizar la fuerza vital del chi dentro del cuerpo. El flujo energético sin trabas fomenta la relajación, un suministro abundante de oxígeno y un pensamiento alerta. Aprender a controlar nuestra respiración básica nos ayuda a calmar y centrar la mente. La respiración puede usarse como una práctica en sí misma (llamada meditación consciente) o como parte de una práctica meditativa.

Cuente su respiración

En este ejercicio, debe limitarse a observar la inspiración y espiración. Entonces insertará una pausa entre la inspiración y la espiración, dividiendo la respiración en tercios, para, por último, crear un ritmo que pueda contar. Puede sentarse en una silla o con las piernas cruzadas en el suelo, con la espalda apoyada.

Con el tiempo, puede que desee inspirar mientras cuenta hasta ocho y retener el aliento mientras cuenta hasta cuatro (paso 8).

1 Elija una postura sentada en el suelo o en una silla. Siéntese con la espalda recta y las palmas de las manos sobre el regazo, con las palmas hacia arriba. Concédase un momento para sentirse cómodo... Cierre los ojos... Sitúe la lengua en el paladar... Inhale aire lenta y suavemente.

2 Centre la atención en el extremo de sus aletas nasales y sienta la sensación de cómo el aire entra y sale de la nariz... A medida que respira, sienta cómo su estómago sube y baja mientras el aire llena la parte inferior de los pulmones... Siga la circulación del aire, cuando el pecho sube y el aire llega a la parte superior de los pulmones... Sea consciente del ritmo natural de la respiración... Observe la duración de su inspiración y espiración. Que su respiración sea suave y regular.

3 Inspire profundamente y luego exhale lentamente, permitiendo que sus hombros se relajen y desciendan. Repítalo. Vuelva a respirar hondo y luego espire lentamente, liberando cualquier tensión en la parte superior de la espalda...

4 Durante la siguiente inspiración, imagine que está reuniendo el chi universal en la parte superior de su cabeza... Mientras espira, imagínese distribuyendo el chi por todas las células de su cuerpo. Si empieza a pensar en otra cosa, vuelva a centrarse en la respiración...

5 Observe la respiración mientras la toma de aire alcanza su punto culminante... Ahora fíjese en cómo el aire sale por completo del cuerpo. El aire entra, y luego sale... Limítese a observar el proceso...

6 Ahora añada una pausa a su respiración. Inspire todo lo que den de sí los pulmones y deténgase... Libere totalmente el aire contenido... Haga otra pausa... Note cómo el aire entra en los pulmones y deténgase... El aire fluye al exterior, y haga otra pausa... El aire entra, reténgalo... El aire sale, deténgase.

7 Ahora divida el proceso de respiración en tres partes. Inspire un tercio de su capacidad pulmonar, deténgase mientras cuenta hasta uno... Inspire un tercio más de aire y haga otra pausa mientras cuenta hasta uno... Ahora inspire el último tercio y contenga el aire... A continuación siga el proceso inverso, expulsando un tercio del aire y deteniéndose mientras cuenta uno... Libere otro tercio del aire y vuelva a contar uno... Espire el resto del aire. Repita esta «respiración dividida» varias veces, hasta que se sienta a gusto con el ritmo. Recuerde: si se pone a pensar en otra cosa o pierde la cuenta, vuelva a empezar.

8 Ahora tiene que inspirar mientras cuenta hasta cuatro y retener el aire mientras cuenta hasta dos... Exhale contando hasta cuatro y deje de respirar mientras cuenta hasta dos... Repítalo varias veces.

9 Siga con esta pauta durante unos cuantos minutos. Cuando esté listo, deje de contar y concentre su atención en el sencillo proceso de inspirar y espirar el aire... Abra los ojos y tómese un momento para reajustar la respiración.

Observe su respiración

Cuando uno practica la meditación dirigida, centra la mente en la respiración. Esto enseña a la mente a experimentar el momento presente. Esta disciplina puede potenciar en gran medida el vínculo entre cuerpo y mente.

Puede practicar esta concentración tanto mientras medita como en otros momentos. Una forma de practicarla consiste en ser consciente de la respiración durante el día. A medida que avance la jornada, busque distintos momentos para ser consciente de su respiración. El hecho de observar cómo respira le enseñará, de una forma natural, cómo cambian sus estados emocionales y mentales. Para aprender sus patrones respiratorios lo único que debe hacer es recordarse que hay que prestar atención. Con el tiempo, cada vez sintonizará mejor con sus emociones y pensamientos y será capaz de responder al estrés con un patrón respiratorio relajado y pleno.

Cuando nos sentimos estresados o experimentamos pensamientos o emociones «negativos», es bastante frecuente que hagamos inspiraciones y espiraciones breves, someras o rápidas. A menudo tendemos a contener la respiración. Sin embargo, es precisamente en los momentos de estrés cuando puede beneficiarse más del hecho de ralentizar la respiración, haciendo que sea plena. A medida que su respiración empiece a calmarse y regularse, se dará cuenta de que el cuerpo puede procesar los cambios emocionales y mentales de la situación actual. Cuando se vea inmerso en un estado de frustración, confusión o ansiedad, haga una pausa y analice su forma de respirar. El hecho de concentrarse en la respiración hará que esta empiece a cambiar.

1 Comience por buscar una postura cómoda. Cierre los ojos... Sitúe la lengua con el ápice tocando la cara posterior de los dientes superiores... Inspire aire lenta y suavemente, varias veces. Olvídese de toda necesidad de controlar su respiración. La intención es descubrir y revelar su respiración natural, igual que solía respirar antes de forjar hábitos incompletos.

2 Adopte una actitud inquisitiva frente a su respiración. ¿En qué zonas de su cuerpo la siente?... ¿Siente cómo el aire va expandiendo su caja torácica?... ¿Percibe cómo se desplaza el aire por su interior?...

¿Fluye libremente por su laringe?... ¿Llega el aire inspirado hasta la parte superior de los hombros y del pecho?... ¿Llega hasta el abdomen?... ¿Siente cómo éste sube y baja suavemente?

3 Prosiga con su investigación. ¿Cómo describiría las cualidades de su patrón respiratorio? ¿Es suave o percibe algún obstáculo?... ¿Le parece regular?... ¿Respira profundamente o no? (Tenga paciencia, porque es posible que sus primeras impresiones le proporcionen una información generalizada, no específica.)

4 Observe unos instantes la inhalación del aire sin intentar alterarla. No se preocupe por si está respirando «correctamente» o no. Simplemente, observe sin evaluar nada y permita que su respiración sea suave y regular.

5 Ahora dirija su atención a la pausa natural entre la inspiración y la espiración del aire. ¿Cómo articula su respiración?... ¿Percibe alguna diferencia importante entre la inspiración y la espiración?... ¿Le parece que duran lo mismo?

6 Dese cuenta de que, al final de cada inspiración, experimenta el «punto álgido» de la respiración. Cuando acaba de exhalar el aire del todo, al terminar la espiración, experimenta el «punto más bajo» de la respiración.

7 En esas pausas durante el punto álgido y el bajo, el cuerpo experimenta un descanso total. Concédase unos instantes para ser consciente de esos descansos.

8 Imagine que la duración entre los dos puntos básicos, el álgido y el inferior, se extiende de tal manera que la respiración se vuelve circular, carente de principio o de fin. Déjese llevar por ese flujo constante sumergiéndose en su respiración.

9 Cuando crea estar listo, borre cualquier imagen con la que esté trabajando... Respire lenta, profunda y completamente... Recuerde qué aspecto tiene lo que le rodea y, suavemente, abra los ojos.

La respiración abdominal

Respirar desde el abdomen o diafragma potencia en gran medida la relación cuerpo-mente y reduce la tensión provocada por el estrés. Cuando uno respira con su abdomen, es difícil estar tenso. Cuando alguien está relajado, respira más profunda y plenamente. Si se fija en cómo respiran los bebés, verá que lo hacen desde el abdomen, dado que ése es el patrón natural de la respiración humana. Sin embargo, a medida que crecemos, tendemos a adoptar patrones respiratorios insuficientes que pueden aumentar las situaciones estresantes. Si aprende a usar la respiración abdominal, alcanzará un estado de calma y serenidad.

1 Comience tumbándose sobre la espalda con las piernas estiradas o las rodillas dobladas y las plantas de los pies en contacto con el suelo. Permita que el peso de su espalda y glúteos se distribuya bien por el suelo. Cierre los ojos... Sitúe la lengua en el paladar... Haga varias inspiraciones profundas y limpiadoras.

2 Coloque las palmas de las manos sobre el abdomen, esa zona situada por debajo del esternón y por encima del hueso púbico... Sienta el peso de sus manos que descansa sobre el vientre...

3 Empiece a observarse tranquilamente... ¿Su vientre retiene alguna tensión?... Perciba cómo el abdomen se mueve con cada inspiración y espiración... Sienta cómo sube y baja, como si fuera un globo que se infla y se deshincha... Cuando inspire, note cómo el abdomen sube en varias direcciones, hacia los lados y hacia la parte inferior de la espalda... Durante la espiración, el abdomen recupera su posición suavemente, sin constricciones ni tensiones de ningún tipo.

4 Cada inspiración/espiración fluye de forma natural, con una agradable plenitud... Visualice una luz blanca y brillante por encima de su cabeza. Esta luz es la energía del chi celestial... Atraiga este chi de forma que entre por su coronilla y diríjalo al contendedor que es el abdomen inferior.

5 El vientre se vuelve blando y expansivo, llenándose del chi celestial... Su abdomen se convierte en una pelota de playa que, según se suceden las inspiraciones y espiraciones, cada vez se infla más... La pelota aumenta, pero conserva su elasticidad y flexibilidad... El abdomen se ablanda para hacerle sitio a esa pelota grande y redonda... Imagine la pelota de playa flotando ligera sobre las olas suaves de un gran lago... La pelota sube y baja con cada «ola» que produce nuestra respiración.

6 Siga el ritmo de las subidas y bajadas de la pelota hasta que haya alcanzado su grado deseado de expansión y relajación abdominal... Cuando esté listo, abra los ojos y vuelva a centrar su atención en lo que le rodea.

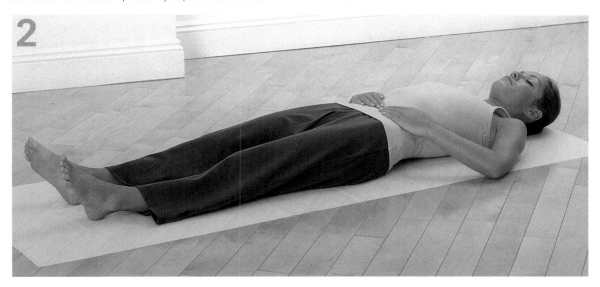

Técnicas básicas
Los pies bien asentados

El concepto de asentarse es importante para la práctica de la meditación y para la curación. Asentarse es una forma de centrarse y liberar el exceso de energía acumulada por el estrés y las tensiones.

Esencialmente, asentarse significa establecer un vínculo energético entre su cuerpo y la tierra. Estar asentado proporciona la sensación de conexión con el yo interior y la de un anclaje firme con el mundo. Usted dispone ya de formas naturales para sentirse asentado, como cocinar, cuidar el jardín, comer, hacer ejercicio, conversar con un amigo o disfrutar de la soledad del silencio.

Ese asentamiento le permite enseñar a su cuerpo cómo se «deja ir» la tensión. Todas las presiones cotidianas pueden generar problemas físicos, emocionales y mentales, aparte de fatiga. Piense en su cuerpo físico como un hermoso jarrón lleno de fuerza vital. Las tensiones diarias convierten su fuerza vital en agua sucia, turbia. La técnica de asentamiento le permite vaciar esa energía excesiva del jarrón y suministrar creatividad a su fuerza vital. Igual que una fuente subterránea que no deja de fluir, el agua de su jarrón circula sin cesar y permanece clara y limpia.

Esta técnica le ayudará a aprender cómo «liberarse» durante el día, en lugar de permitir que se acumulen la tensión y las presiones.

1 Para realizar este ejercicio es necesaria una silla con respaldo recto. Esto le permitirá que los pies estén bien afirmados en el suelo. Inclínese ligeramente hacia delante, de modo que la columna esté recta pero relajada. Cierre los ojos... Coloque la lengua en el paladar y respire varias veces lenta y profundamente, sintiendo cómo sus pulmones se llenan de oxígeno... Céntrese en la inspiración y distribución de oxígeno varias veces, hasta que se sienta lo bastante relajado.

2 La siguiente vez que inspire, imagine un punto brillante de luz dorada, a unos 30 cm por encima de su cabeza. Este punto de luz es la fuerza vital universal que le ilumina. Imagine que la luz se intensifica cuando se concentra en ella... Cuando inspire, haga entrar esa luz en su cuerpo a través de la coronilla.

3 La luz dorada viaja por su cuerpo desde la cabeza hasta la punta de los dedos de los pies. A medida que esta fuerza cósmica se adentra en su cuerpo, imagine que crea un eje de luz. Ese eje parte de la coronilla, atraviesa su cuerpo y sale por sus pies. Luego sigue bajando hasta el centro de la tierra y, después, vuelve al universo.

4 Céntrese en esa energía cósmica vital que se mueve por el centro de su cuerpo, desde la cabeza hasta los pies... Cuando exhale el aire la próxima vez, imagine

1

que exhala la luz que baja por sus piernas y sale por la planta de sus pies... Cuando exhale, las raíces energéticas y luminosas se extienden desde la planta de sus pies, penetrando en la tierra.

5 Estas raíces se convierten en el vínculo que le permite expulsar de su cuerpo la tensión o el exceso de energía... Con cada inspiración y espiración, las raíces van hundiéndose más y más en la tierra, hasta que sienta un vínculo fuerte y seguro con ella.

6 Sienta cómo sus pies cada vez pesan más y están más calientes. Sienta cómo esa sensación de peso y calor se extiende por su cuerpo, convirtiéndolo en algo sólido y pesado...

7 Comenzando por la coronilla, escanee con la mente el resto de su cuerpo... Detecte si alberga alguna tensión o dureza en su cuero cabelludo, los músculos faciales, la mandíbula o el cuello... Toda tensión o molestia se condensa formando una neblina...

8 Dirija esa niebla de modo que salga de su cuerpo a través de las raíces que se extienden desde la planta de sus pies... La tierra absorbe esta neblina reciclándola en energía pura.

9 Concentre ahora la atención en el torso superior, examinando los hombros y la parte superior del pecho en busca de tensiones... La tensión se condensa en la niebla... Libere esa niebla haciendo que descienda por el cuerpo y salga por las plantas de sus pies.

10 Deje que la sensación de estar asentado y vinculado con la tierra le relaje. Siga con su examen del torso superior, buscando tensiones o contracturas en las cervicales, los brazos, las manos y el tórax... Imagine que las tensiones y malestares se disuelven formando niebla... Haga que ese vapor baje por su cuerpo saliendo por las plantas de sus pies... Repita este examen para el abdomen, la zona lumbar, las nalgas y las piernas, recogiendo cada vez la niebla y dirigiéndola para que se libere a través de las plantas de los pies.

11 Cuando esté listo, centre de nuevo su atención en el simple proceso de inspiración/espiración. Intente mantener la sensación de asentamiento mientras, lentamente, abre los ojos y vuelve a tomar contacto con su entorno.

El observador

Para la práctica de la meditación es esencial mantener una actitud observadora. Al aprender a observar, la mente puede liberarse mientras, a la vez, permite que usted siga alerta y receptivo. La mente está preparada para observar sin reaccionar con juicios o evaluaciones. Usted puede aprender a observar sus pensamientos así como sus estados emocionales y sus sensaciones físicas. Entonces podrá experimentar su mundo interior y el mundo que le rodea libre de todo apego. Este proceso le permite conservar la calma independientemente del «clima» que reine en su mente. El aspecto de la mente que desarrolla esta habilidad creciente de observar suele llamarse a menudo «el observador» o «la consciencia testigo».

Una mala interpretación frecuente sostiene que la meditación nos exige controlar la mente. La tradición del budismo zen nos enseña que intentar controlar la mente es una empresa inútil. En lugar de controlarla, es mejor aprender cómo asignarle nuevas tareas.

Podemos comparar la mente con un río que nunca deja de fluir. Los pensamientos circulan por las corrientes de la mente. Por tanto, para la mente «pensar» es cumplir con su naturaleza. En lugar de intentar controlar sus pensamientos, usted puede aprender a desarrollar una nueva relación con ellos. Al aprender a contemplar su río de pensamientos, logrará liberarse de las respuestas condicionadas. Y, contrariamente a lo que podríamos esperar, al aprender a despegarse será capaz de experimentar la vida más a fondo, porque los filtros de la mente ya no supondrán un obstáculo.

Algunas palabras clave que pueden contribuir a transmitir las cualidades de la observación son mirar, fijarse, detectar, descubrir, reconocer y percibir.

1 Para este ejercicio, siéntese en una silla o en el suelo, en su posición preferida. Tómese unos momentos para estar cómodo. Cierre los ojos... Sitúe la lengua sobre el paladar... Inspire y espire varias veces, lenta y suavemente... Cada vez que espire, permita que se vaya diluyendo cualquier tensión que hayan generado las actividades cotidianas... Perciba el ritmo natural de la respiración y siga todo el proceso de inspiración y espiración. Cada vez que respire, intente aumentar su atención y ser más consciente del momento presente.

2 Dirija su atención a un lugar tranquilo en lo profundo de su ser, un lugar al que se sienta atraído de forma natural cuando busque descanso. Puede tratarse de un punto dentro de su cuerpo o de su mente. Allí hallará una parte de su ser que ha registrado todos los detalles significativos y sutiles del día. Esta parte de nuestro ser es «el observador», quien es capaz de ser testigo de sensaciones, emociones y pensamientos, pero sin emitir juicios sobre ellos.

3 Empiece a trabajar con el observador interior mediante la observación de la respiración. Permita que el aire entre en su cuerpo de una forma natural y sin altibajos. Dese cuenta de que no hace falta hacer ningún esfuerzo extra. El cuerpo sabe cómo respirar por su cuenta.

4 En el ojo de su mente, «contemple» el movimiento ascendente y descendente de su estómago... Observe la inhalación y el ciclo natural de la respiración mientras sigue el curso del aire durante la exhalación... Perciba cómo el hecho de observar conscientemente la respiración altera su relación con ella... Sea consciente de las sensaciones que vienen y van con cada inspiración y espiración. La respiración crea un espacio para todo aquello que nazca, sin miedos ni resistencias.

5 Ahora concentre su atención en la mente. Es posible que ésta se vea lastrada por alguna distracción. De hecho, es posible que su atención esté en varias partes a la vez. No emita juicios, no evalúe. No hay necesidad de hacer cambios. Simplemente, observe con interés y con una cariñosa atención.

6 Su mente se convierte en un vasto cielo azul... Los pensamientos aparecen como nubes de diversos tipos, formas y texturas. Contemple cómo las nubes vuelan por el cielo. A medida que éstas vienen y van, los pensamientos surgen y desaparecen sin cesar... Contemple cómo las nubes se deslizan por el cielo, y empezará a tener una sensación de intemporalidad. En este momento no tiene un objetivo que alcanzar, no tiene que hacer más que recibir el aire que inspira y contemplar cómo fluyen los pensamientos.

7 Cuando se sienta dispuesto, vuelva a centrar la atención en su cuerpo. Recuerde qué aspecto tiene su entorno exterior y, suavemente, abra los ojos. Cuando los chakras (véase «Los centros vitales del cuerpo») giran con el equilibrio correcto, cada centro de energía contribuye a la salud general del cuerpo al estabilizar los sistemas nervioso y endocrino. El estrés y la preocupación pueden influir negativamente en este equilibrio. La meditación regular puede contrarrestar esta influencia negativa al equilibrar los chakras. En la siguiente visualización, limpiaremos y despejaremos cada centro vital.

La limpieza y el equilibrado de los chakras

1 Elija una postura cómoda... Cierre los ojos... Sitúe la lengua tocando el paladar y empiece a centrar su respiración. A medida que su mente se aclare y su cuerpo se relaje, concentre su atención en la energía telúrica por debajo de usted.

2 Tómese un momento para establecer una conexión entre sus pies y la energía de la tierra... Sienta cómo sus pies se vuelven pesados y calientes... Sienta cómo se desprende la tensión de su cuerpo, que desaparece fluyendo a través de las plantas de sus pies... Imagine que la tierra va empapando la energía de la tensión y que la recicla convirtiéndola en energía pura.

3 De la misma manera que la tierra es el fundamento sólido sobre el que caminamos, el primer chakra es el fundamento de nuestro sistema energético. Empezaremos limpiando el primer centro. Dirija su atención a ese centro, localizado en la base de la columna.

4 Respire dirigiendo el aire a ese centro y sienta cómo la fuerza de gravedad actúa sobre este primer chakra... La gravedad activa este centro mientras éste comienza a girar (en la dirección que le resulte más adecuada). La rotación del chakra libera el exceso de energía o los obstáculos que impiden su bienestar físico.

5 Imagine que le rodea un mar celestial de chi (la energía universal)... La esencia del mar lame su cuerpo y se retira... El mar penetra en su cuerpo y vuelve atrás... Concéntrese en este ritmo del oleaje...

6 Ahora concentre las olas de ese mar en el primer chakra... Mientras las olas inciden en el chi, estimulando este centro gracias a la vitalidad que insuflan, el centro empieza a abrirse como los pétalos de una flor... El chi llena los pétalos de un tono rojizo amarronado... Este color vibrante irradia su luz a la base de la columna.

7 Desplace la atención al centro sacro, el segundo chakra, situado entre el ombligo y el hueso púbico... Una vez más, deje que fluya la sensación de ese mar de chi que le rodea... El chi circula por la zona sacra, el centro de la energía sexual y creativa... Contemple cómo el mar fluye a ese centro... Aparece una flor que empieza a abrirse revelando unos pétalos de un brillante color naranja... Los pétalos naranjas empiezan a girar y equilibran el chakra... Vea cómo el color se irradia al abdomen inferior y a la parte baja de la espalda...

8 Imagine que el mar de chi envía sus olas al tercer chakra, situado en el plexo solar, que alberga el poder emocional y personal... Sienta las olas del mar lamiendo suavemente el plexo... La vitalidad del chi tiñe este centro de un brillante color amarillo... Los pétalos de la flor empiezan a abrirse e irradian el color hacia el estómago... Los pétalos rotatorios liberan cualquier tensión que pueda sentir en el estómago... Según va girando el chakra, se limpia el cuerpo emocional...

9 Concentre su atención en el centro del corazón, situado en mitad de su pecho... El mar fluye hasta ese centro, aportando una agradable limpieza y refrescándolo... Los pétalos de la flor se abren para revelar un vívido color verde que se extiende por el pecho... El corazón es el centro de afinidad y el puente de transformación entre los ámbitos físico y espiritual. El color verde del corazón simboliza la naturaleza, el crecimiento y la armonía. El verde crea una armonía entre los chakras superiores e inferiores... Al tiempo que el verde se distribuye por todo el cuerpo, el centro del corazón extiende la compasión a todos los seres vivos...

10 Ahora dirija su atención al quinto centro, situado en la garganta, el centro de la expresión creativa, la intuición pragmática y la voluntad superior... Las olas acarician ese centro haciendo que los pétalos giren y revitalicen... Los pétalos vibran en forma de azul eléctrico... El azul refleja la claridad de la mente superior... El flujo y reflujo del chi universal limpia este centro, aportando una sensación de claridad para la expresión de nuestro ser.

11 Desplace su atención un poco más arriba, al centro de las cejas, situado entre sus ojos. El mar entra y sale del sexto chakra... Sienta cómo el chi vital estimula la apertura de la flor... Los pétalos

desvelan un hermoso color añil que despierta el centro de la clarividencia y la imaginación... Mientras el añil fluye hacia fuera, se liberan las cualidades superiores de la intuición para ofrecerle una guía para su vida.

12 Por último, concéntrese en el punto situado en la coronilla... Ésta es la flor de los mil pétalos... Cuando el mar de chi lo alcanza, se activa este centro supremo, derramando una brillante luz blanca teñida de un violeta purpúreo... Éste es el centro de la consciencia cósmica que fomenta la capacidad de alcanzar la

redención con el poder cósmico... Es el centro de la máxima consciencia. Visualice cómo se abre la flor. Su luz radiante baña todo su cuerpo con un chi revitalizante.

13 Ahora, lentamente, viaje con su pensamiento columna abajo, cerrando suavemente los pétalos de cada flor y llegando hasta la raíz... Concentre su atención en el flujo de la respiración... Cuando esté listo, vuelva sin prisas al estado de vigilia y concédase un tiempo para reajustarse a su entorno.

Técnicas terapéuticas

La concentración y el centrado

Los siguientes tratamientos resultan útiles para desarrollar la concentración y el centrado:

a) Concentrarse en un objeto   b) El centro de la cabeza

Concentrarse en un objeto

Origen: Una técnica básica de meditación para principiantes, presente en diversas tradiciones orientales.

🧍 **Objetivo: Cultivar la concentración y el centrado**

🕔 **Frecuencia de uso: Puede usarse una o dos veces al día**

🕐 **Duración: Mantenga la meditación 10-15 minutos**

↔ **Referencia cruzada: «Observe su respiración» (pág. 28)**

① **Grado de dificultad 1: Fácil**

🌿 **Tratamiento complementario: «Observe su respiración» (pág. 28)**

➕ **Remedio rápido**

Una forma sencilla de aprender la concentración y el centrado consiste en preparar la mente para centrarse en un objeto. Intente hacerlo con un objeto sencillo, como la llama de una vela, una manzana o un tazón. Coloque el objeto sobre una superficie plana a unos 50 cm por debajo de sus ojos. Empiece centrándose en el objeto con los ojos abiertos y luego con los ojos cerrados.

Si ésta es la primera vez que realiza este ejercicio, elija una manzana como objeto de centrado. A partir de ese momento, vaya practicando con diversos tipos de objetos inmóviles.

1   **2**

1 Siéntese en una silla de respaldo recto. Coloque la manzana sobre una superficie lisa y limpia, a la distancia de un brazo y unos 50 cm por debajo de su línea visual.

2 Cierre los ojos… Coloque la lengua sobre el paladar… Empiece con «Observe su respiración». Cuando haya alcanzado el grado suficiente de relajación, abra los ojos y contemple la manzana. Que su vista se centre exclusivamente en ella, relegando el resto de las cosas al trasfondo borroso.

3 Siga el contorno de la manzana con los ojos… Fíjese en cada detalle de forma y textura. Inhale su color… Imagine que sostiene la manzana en la mano… Imagine que le da un mordisco… Sienta su frescura y guste su dulzura. Imagine las sensaciones que tendría si masticara la manzana.

4 Ahora vuelva a contemplar la manzana como un todo. Con los ojos de su mente, impresione en ella su imagen, como una cámara fotográfica lo haría en un carrete… Cierre los ojos y tómese un tiempo para recrear en su mente la imagen de la manzana.

5 Vea el tamaño y la forma de la manzana… Imagine su color brillante y la textura de la piel. Huela la manzana… Imagine que la muerde y cómo su sabor inunda su boca. Si empieza a pensar en otra cosa o pierde la imagen de la manzana, simplemente abra los ojos y vuelva a fijarse en sus características. Repita el proceso hasta que retenga la imagen de la manzana en su mente.

6 Vuelva a concentrarse en la simple inspiración y espiración del aire… Céntrese en la respiración unos cuantos ciclos… Cuando se sienta dispuesto, abra lentamente los ojos.

El centro de la cabeza

Origen: Esta meditación, basada en prácticas hindúes, fomenta la concentración y la objetividad.

Objetivo: Cultivar la claridad, concentración y centrado

Frecuencia de uso: Puede usarse cada día

Duración: Entre 10 y 15 minutos

Referencia cruzada: «Observe su respiración» (pág. 28)

Grado de dificultad 2: Intente este ejercicio después de «Concentrarse en un objeto» (pág. 38)

Tratamiento complementario: «El observador» (pág. 32)

Cuando domine suficientemente el centrado, puede optar por usar el centro de las cejas como el destinado a toda práctica meditativa.

1 Elija una postura sentada de entre las posturas sentadas básicas (pág. 20)... Cierre los ojos... y comience el ejercicio de «Observe su respiración».

2 Imagine una bola luminosa energética que brilla en su rabadilla. Haga subir la bola de energía por la columna, llegando a la zona de su vientre medio, a unos 5-7 cm por encima del ombligo... Respire unas cuantas veces... Sea consciente de todas las sensaciones... Desplace la bola hasta el plexo solar y respire hondo... Perciba todas las sensaciones en el plexo... Haga que la bola energética suba hasta el centro del corazón, situado en el esternón... Experimente la sensación de centrar allí su consciencia... Desplace la bola hacia el centro de la garganta, en el espacio blando entre las clavículas... Analice la sensación de centrarse allí... Por último, haga que la bola de energía suba hasta el centro de las cejas, detrás de los ojos y entre las orejas.

3 Permita que la bola se detenga allí... Éste es el centro de su cabeza, el lugar central de la consciencia... Respire y céntrese en la bola de luz... ¿Este centro produce una sensación distinta o tiene una cualidad diferente a los demás?... El centro de la cabeza

es el lugar desde el que observar todo lo que experimenta dentro de sí mismo y a su alrededor, sin emitir juicios ni evaluaciones. Aquí podrá experimentar una visión despegada de sus pensamientos y de las sensaciones que generen.

4 La bola energética se convierte en una luz azul brillante... La luz azul se extiende por su cabeza irradiando claridad mental... La luminosidad se expande más allá de su cabeza e invade el espacio que le rodea... Los rayos luminosos penetran en su aura como las ondas en un estanque, que no cesan de moverse hacia fuera. Esa luz azul va extendiendo su alcance cada vez más, con cada respiración...

5 La definición de su cuerpo físico empieza a debilitarse y a disolverse mientras se funde en la luminosidad azul... Esa claridad mental aporta una consciencia de todo lo que está experimentando física, emocional y mentalmente...

6 Retraiga la luz azul radiante acercándola más hacia su cuerpo, como si se envolviera en una manta... Despréndase de la imagen de la luz... Con calma, vuelva a concentrarse en la inspiración y espiración del aire. Retorne a la consciencia de la vigilia contando hacia atrás de diez a uno y luego abra los ojos.

El centrado y el equilibrio interior

Los siguientes tratamientos proporcionan centrado y equilibrio interior:

a) La cuerda de anclaje   b) Ofrecer colores   c) El santuario del jardín

La cuerda de anclaje

Origen: Una meditación común a las prácticas chamánicas y a las antiguas tradiciones europeas.

Objetivo: Alcanzar el centrado y el equilibrio interior

Frecuencia de uso: Puede usarse cada día

Duración: Mantenga la meditación 10-15 minutos

Referencia cruzada: «Observe su respiración» (pág. 28)

Grado de dificultad 1: Use esta técnica diariamente

Tratamientos complementarios: «El centro de la cabeza» (pág. 40) y «La esponja mental» (pág. 61)

Remedio rápido: Una vez domine esta técnica, se la puede considerar un remedio rápido

1 Adopte su postura de meditación favorita. Cierre los ojos... Sitúe la lengua sobre el paladar... Las manos deben estar relajadas y abiertas, descansando en su regazo. Practique «Observe su respiración»... Cada vez que inhale y exhale, sienta cómo su cuerpo se vuelve más pesado, cálido y relajado.

2 Dirija su atención a su rabadilla... La respiración se recoge como si fuera un estanque en la base de su columna. Imagine su árbol favorito. Las ramas y hojas del árbol se enroscan en su rabadilla, creando la ilusión de que usted forma parte de él... Imagine que ha vuelto a su infancia... Trepe por el árbol y descanse entre sus ramas. Su respiración fluye por las ramas llegando hasta las hojas. El tronco del árbol es hueco... Vaya extendiendo el tronco bajando por él atravesando las múltiples y sucesivas capas de la tierra, con las rocas... El tronco sigue hueco mientras desciende hasta el mismísimo núcleo terrestre. Siga su respiración hasta ese punto ardiente, derretido.

3 El tronco del árbol alcanza el centro... Cuando usted entre en contacto con este poderoso centro de gravedad, sienta cómo aumenta el peso y la pesadez de su cuerpo... Las raíces del árbol envuelven firmemente el centro de la tierra.

4 El tronco hueco es su cuerda de anclaje. El vínculo con la tierra funciona como un gigantesco vacío que le ayuda a liberarse de todas las sensaciones, sentimientos o pensamientos a los que ya no necesita sujetarse.

5 Redirija la atención a su cuerpo. Proceda a realizar un escaneo mental, buscando dolores, molestias o preocupaciones de las que esté dispuesto a desprenderse... Aquello que opta por liberar se convierte en una energía neblinosa... Vea cómo esa energía desciende por la cuerda de anclaje como el agua que se pierde por un sumidero... Repita ese análisis mental varias veces, hasta que se sienta limpio y dispuesto para continuar.

6 Siempre que uno libera energía, es importante reponerla. Imagine un sol brillante y dorado, a unos 25-30 cm por encima de su cabeza. Haga que ese sol penetre en su cuerpo, e indíquele que rellene todos aquellos lugares de los que se desprendió energía... Cuando sienta que se ha empapado de energía dorada, respire hondo varias veces y, suavemente, abra los ojos.

Su cuerda de anclaje puede estar hecha del material que prefiera. La cuerda le ayuda a liberarse de energías negativas o excesivas, a fin de que no se sature demasiado y se desequilibre.

Ofrecer los colores

Origen: Una técnica meditativa sencilla pero hermosa, que tiene su origen en la tradición tántrica.

🚶 **Objetivo: Alcanzar la claridad mental**

🔄 **Frecuencia de uso: Puede usarse regularmente**

🕐 **Duración: Mantenga la meditación 10-15 minutos**

↔ **Referencia cruzada: «Observe su respiración» (pág. 28) y «Las manos en forma de copa» (pág. 25)**

① **Grado de dificultad 1: Es una técnica sencilla que requiere cierta práctica**

🍃 **Tratamiento complementario: «El centro de la cabeza» (pág. 40)**

➕ **Remedio rápido**

Ofrecer los colores es una meditación que entronca con la tradición del yoga tántrico.
Nos ayuda a liberar nuestros pensamientos para insertarlos en una mente universal superior.

5

1   Siéntese en la postura que más le agrade...
     Cierre los ojos y comience el centrado de la
respiración... Respire hondo para permitir que el chi,
la fuerza vital universal, penetre en su cuerpo.

2   Cuando sienta que ha alcanzado el grado de
     relajación máximo, concentre su atención en
su mente... Sea consciente de las maneras en que ésta
se puede distraer. No juzgue ese hecho, limítese a
observarlo. La mente y el espíritu tienen la capacidad
de estar en más de un sitio a la vez. Esta cualidad no
es algo que requiera un control; en lugar de ello,
podemos considerarla una habilidad espiritual.
El mero hecho de ser conscientes de las formas en
que la mente se distrae potencia nuestra consciencia.

3   Centre su atención en sus pensamientos.
     Visualícelos como colores... Su intuición le guiará
a la hora de asignar colores a esos pensamientos...
Respire esos colores... Vea cómo adoptan los distintos
colores del espectro.

4   Ahora, coloque las manos en forma de copa y sitúelas
     delante del centro del corazón, a la altura del esternón.
Vea cómo los colores de sus pensamientos se convierten
en hermosas flores, que caen sobre sus manos abiertas...
Respire la frescura de ese ramillete introduciéndolo en el
centro del corazón mientras se libera de cualquier lastre
o responsabilidad sobre los pensamientos.

5   Abra las manos y déjelas caer a los lados del
     cuerpo. Vea cómo las flores se liberan en la madre
tierra, quien las acepta con cariño. Ofrezca los colores
a la tierra, entregando con calma sus pensamientos a
la sabiduría de la mente superior.

6   Repita esta secuencia tantas veces como desee,
     para limpiar la mente. Vuelva a concentrar la atención
en la respiración, y luego, en el entorno que le rodea.

El santuario del jardín

Origen: Occidental; una técnica imaginativa guiada en la que el participante experimenta una realidad virtual interna que le ayuda a obtener una sensación de centrado, rejuvenecimiento y equilibrio interior.

Objetivo: Crear un santuario interior para una mente en calma y llena de paz

Frecuencia de uso: Puede usarse cada día

Duración: Prolongue la meditación todo el tiempo que quiera

Referencia cruzada: Use «La respiración abdominal» (pág. 29) y «El mudra del conocimiento» (pág. 25)

Grado de dificultad 2: Requiere la capacidad de mantener la concentración

Tratamiento complementario: «El centro de la cabeza» (pág. 40)

1 Elija la postura más cómoda... Cierre los ojos y practique «La respiración abdominal». La respiración se convierte en una brisa suave que le va elevando y le lleva hasta la entrada de un jardín especial... Atraviese las puertas del jardín, percibiendo cómo se despiertan los sentidos de su cuerpo... Aquí, en este santuario, dispone de la maravillosa capacidad de crear o alterar todos los detalles que desee.

2 Su mirada se pasea por el jardín, vestido de espléndidos colores. Empápese de toda la hermosura que ve... ¿Qué aspecto tiene su jardín? ¿Es un mosaico de colores entremezclados o tiene un diseño formal?... Vea la diversidad de especies vegetales que crecen por todo el jardín... Quizá vea alguna de sus favoritas. ¿Qué animales ve por allí, disfrutando del día?

3 Respire hondo, gozando de la fragancia de los aromas del jardín... ¿Distingue algún aroma en concreto?... ¿Oye quizá el sonido de los insectos que zumban y de los pájaros que cantan?

4 Siéntase atraído por una parte concreta del jardín. Acérquese y acaricie el follaje o los pétalos de las plantas y flores. Maravíllese frente a la variedad de texturas que perciben sus dedos.

5 Siga paseando por el jardín, sintiendo la tierra bajo sus pies, o elija una zona del jardín para sentarse y descansar... Recuerde que puede controlar el clima y la temperatura... Una vez más, empápese de todo lo que ve usando todos sus sentidos... Perciba los juegos de luces en el jardín... ¿Es un día luminoso y despejado o ligeramente nublado? Perciba la sensación de calidez sobre la piel, fruto de los rayos del sol, o quizá la humedad de una neblina fresca o de la lluvia... Disfrute de su jardín–santuario todo el tiempo que desee.

6 Cuando quiera, abandone el jardín echándole un último vistazo... Tómese un momento para saborear su experiencia... Lentamente, devuelva su atención a su cuerpo... Sugiérase que, a medida que vaya regresando a la consciencia despierta, se sentirá refrescado y revitalizado. Vuelva a concentrarse en el suave ritmo de la respiración... Cuando esté listo, abra los ojos.

El estrés y la tensión

Los siguientes tratamientos son excelentes para liberar estrés y tensión:

a) La bola dorada b) RMP: la relajación muscular progresiva

La bola dorada

Origen: Combinación de prácticas orientales y occidentales, que usa la energía de la luz para la sanación interior.

Objetivo: La relajación de todo el cuerpo

Frecuencia de uso: Puede usarse regularmente

Duración: Practique durante 10-15 minutos

Referencia cruzada: Use «La respiración abdominal» (pág. 29) y «Manos abiertas» (pág. 24)

Grado de dificultad 1: Requiere unas imágenes sencillas

Tratamiento complementario: «La relajación muscular progresiva» (pág. 46)

Remedio rápido

1 Comience situándose en una postura cómoda, sentado o tumbado. Cierre los ojos... Practique «La respiración abdominal».

2 Visualice una bola de energía brillante y dorada que flota justo por encima de su cabeza... Usando la respiración, desplace la bola haciéndola pasar por delante de su frente... El calor de la bola relaja los músculos de la frente.

3 La bola dorada pasa por delante de sus ojos, eliminando las tensiones. La bola pasa luego sobre sus mejillas, la boca y los músculos de la mandíbula, derritiendo todas las presiones. El calor y la luz de la bola penetran en la piel, fomentando aún más la relajación.

4 La bola energética sigue viajando hacia abajo, pasando por la garganta hasta la parte delantera de los hombros, y disuelve toda tensión.

5 Concéntrese en el movimiento de la bola mientras rueda por su pecho. Sienta cómo la relajación y la calidez se extienden por su pecho, llegando a sus brazos y atravesando las manos.

6 Desplace la bola dorada sobre su abdomen, su pubis y su zona genital, sintiendo cómo su calidez va liberando todas las tensiones.

7 La bola energética desciende por sus muslos y luego las pantorrillas hasta llegar a sus pies y sus dedos. Entonces rueda hasta la parte trasera de su cuerpo... e inicia el ascenso.

8 Sistemáticamente, desplace esta bola por su espalda, tocando las mismas áreas que antes.

9 Según vaya familiarizándose con este ejercicio, podrá desplazar la bola de energía rápidamente varios ciclos, hasta que alcance el grado de relajación deseado.

RMP: la relajación muscular progresiva

Origen: Una técnica que, sistemáticamente, relaja todos los músculos del cuerpo. El doctor Edmund Jacobson desarrolló este método de relajación en los años veinte, como parte de un programa de formación para enseñar a los individuos a usar la mente para alcanzar una profunda relajación.

🚶 **Objetivo: Relajar todo el cuerpo**

🕙 **Frecuencia de uso: Puede usarse regularmente**

🕐 **Duración: Practique durante 10-15 minutos**

↔ **Referencia cruzada: Use «Manos abiertas» (pág. 24) y «La concentración y el centrado» (pág. 38)**

① **Grado de dificultad 1: Instrucciones sencillas de seguir, paso a paso**

🌿 **«El entrenamiento autógeno» (pág. 54)**

➕ **Remedio rápido**

Esta técnica relaja sistemáticamente todos los músculos del cuerpo. El objetivo de la RMP es eliminar la tensión residual en el cuerpo, alcanzando por tanto un estado de relajación plena. Una vez se haya familiarizado con la secuencia de relajación, podrá hacerla fácilmente en unos 10 minutos.

1 Elija una postura cómoda, bien tumbándose sobre la espalda o en una posición reclinada. Cierre los ojos... Sitúe la lengua sobre el cielo de la boca e inspire profundamente tres veces, exhalando el aire lentamente...

2 Tense el pie derecho encogiendo los dedos hacia dentro... Mantenga la posición 8 segundos... Relaje el pie y deje los músculos fláccidos durante 15 segundos.

3 Tense la pantorrilla de la pierna derecha estirando los dedos hacia dentro, al contrario del ejercicio anterior, y tense los gemelos. Mantenga la posición 8 segundos... Relaje la zona durante 15 segundos.

4 Contraiga los músculos de toda su pierna derecha tensando la pantorrilla, el muslo, las caderas y las nalgas. Mantenga la posición... Relaje todos los músculos y deje muerta la pierna derecha durante 15 segundos.

5 Siga la misma secuencia para el pie y la pierna izquierdos.

6 Cierre la mano derecha apretando el puño. Mantenga la posición y luego relaje la mano.

7 Tense el antebrazo derecho y cierre el puño de esa misma mano. Después relaje el brazo.

8 Contraiga todo el brazo derecho, tensando los bíceps (lleve el puño cerrado hacia el hombro, como si quisiera tocarlo). Mantenga la tensión 8 segundos... Relaje el brazo durante 15 segundos.

9 Siga la misma pauta para la mano y el brazo izquierdos.

10 Tense los músculos abdominales metiendo el estómago hacia adentro. Mantenga la postura unos segundos y relaje luego la zona... Sienta cómo la relajación se va extendiendo por todo su abdomen.

11 Tense los músculos lumbares despegando los riñones del suelo para describir un arco suave. Tras unos segundos, vuelva a apoyar la espalda en el suelo y relaje ese área.

12 Contraiga los músculos pectorales inspirando todo el aire que pueda. Reténgalo unos segundos y vaya soltándolo poco a poco. Imagine que una oleada de calor le va recorriendo el pecho.

13 Presione la nuca sobre el suelo para tensar la parte posterior del cuello. Mantenga la posición... Vuelva a acomodar la cabeza en el suelo para descansar. Respire hondo y repita la posición. Ahora, atraiga sus omoplatos hacia dentro, el uno hacia el otro. Mantenga la posición 8 segundos y relájese.

14 Tense los músculos de su frente alzando las cejas al máximo. Tras unos segundos, relájese y sienta cómo los músculos vuelven a alisarse por toda la frente.

15 Tense los músculos en torno a sus ojos apretando firmemente los párpados. Mantenga la posición... Luego deje descansar los músculos.

16 Contraiga los músculos mandibulares abriendo la boca tanto como pueda. Mantenga la posición... Relájese y deje los labios entreabiertos y que la mandíbula penda sin tensiones.

16

17 Busque cualquier resto de tensión en su cuerpo. Si detecta alguna zona tensa, repita el ejercicio para ese grupo muscular determinado.

18 Sienta cómo una cálida oleada de relajación se extiende por su cuerpo. Poco a poco, vuelva a entrar en contacto con su entorno.

Los dolores de espalda

Antes de iniciar la práctica meditativa, consulte a un médico si su dolor es reciente y no un problema crónico. Sea prudente cuando aplique las técnicas y conozca hasta dónde puede llegar su cuerpo.

Consulte con un médico si:

* El dolor aumenta durante el tratamiento o después de él.
* Durante la meditación siente un dolor agudo, ramificado o punzante.
* Tiene espasmos musculares.
* Siente un dolor que se irradia desde el punto central.

Los siguientes tratamientos son excelentes para aliviar el dolor torácico (espalda superior) o lumbar (espalda inferior):

a) La relajación pasiva   b) La postura infantil   c) El estiramiento del perrito

La relajación pasiva

Origen: Occidental; parecida a la relajación muscular progresiva.

(🚶) **Objetivo: Solventar el dolor de la espalda superior, media e inferior**

(🕐) **Frecuencia de uso: Puede usarse diariamente**

(⏱) **Duración: Mantenga la postura entre 15-20 minutos**

(↔) **Referencia cruzada: Use «Observe su respiración» (pág. 28)**

(1) **Grado de dificultad 1: Es una técnica muy fácil de realizar**

(🍃) **Tratamientos complementarios: «La liberación del dolor» (pág. 59) y «La liberación del color» (pág. 58)**

(✚) **Remedio rápido**

1 Siéntese en el suelo de cara a una silla. Acerque las caderas y las nalgas a las patas delanteras de la silla.

2 Sitúe las pantorrillas sobre el asiento y, lentamente, vaya bajando la espalda hasta que descanse en el suelo.

3 Ajuste su cuerpo de tal manera que el borde del asiento de la silla esté detrás de sus rodillas. Con esto, los gemelos se mantendrán relajados.

4 Apoye los brazos en el suelo, descansándolos, con las palmas de las manos mirando al techo, en una posición receptiva (si esto le resulta molesto para el cuello, coloque tras las cervicales una toalla enrollada).

5 Suavemente, cierre los ojos e inspire lentamente varias veces, para limpiarse a fondo...

6 Deje que la gravedad tire de su cuerpo por completo. Con cada respiración, sienta cómo se va hundiendo más y más en el suelo... Perciba cómo todos los puntos de su espalda tocan el suelo... No se fuerce a aplastar contra el suelo la zona lumbar; permita que la gravedad inste a su espalda a relajarse suavemente. No es usted quien hace el trabajo, sino la gravedad...

7 Con su mente, siga las inspiraciones y espiraciones sencillas de su aliento. Si empieza a pensar en otra cosa, sea consciente de ello y, sencillamente, vuelva a concentrarse en la respiración...

8 Mantenga esta postura pasiva durante 15-20 minutos. Si no obtiene los resultados deseados, pase a otra técnica. Cuando esté listo para concluir el ejercicio, levante suavemente las pantorrillas que descansan en la silla. Aléjese de la silla empujándola con los pies. Ruede colocándose sobre su lado derecho y yérgase, usando ambas manos, hasta quedar sentado.

La postura infantil

Origen: Diversas formas del yoga Hatha.

Objetivo: Solventar el dolor lumbar

Frecuencia de uso: Puede usarse diariamente, varias veces al día

Duración: Practique esta técnica entre 5 y 10 minutos

Referencia cruzada: Use «La respiración abdominal» (pág. 29)

Grado de dificultad 1

Tratamientos complementarios: «Cuente su respiración» (pág. 27) y «La liberación del color» (pág. 58)

Remedio rápido

Esta técnica de yoga se emplea como una postura de descanso y rejuvenecimiento. Es tremendamente eficaz para aliviar el dolor de la zona lumbar.

1 Coloque una toalla o una alfombrilla bajo su cuerpo. Es posible que necesite otra toalla extra para colocarla bajo la frente o las rodillas (véase la foto).

2 Póngase a cuatro patas con las manos en la vertical de los hombros y las rodillas en la vertical de las caderas (si esto hace que le duelan las rodillas, coloque una toalla doblada bajo las rótulas).

3 Haga que se toquen los dedos gordos de los pies y amplíe la distancia entre las rodillas unos centímetros, dependiendo siempre de su grado de flexibilidad.

4 Lenta y suavemente, haga descender las nalgas hasta que descansen sobre los talones. En este punto es posible que descubra que puede separar un poco más las rodillas.

5 Empiece a doblar los codos en dirección al suelo... Haga descansar la frente sobre el suelo. La intención es que la frente esté apoyada sobre el suelo. Si no lo consigue, o si la presión le resulta molesta, coloque una o dos toallas bajo la frente para proporcionarle un mejor apoyo.

6 Extienda el brazo derecho hacia atrás, deslizándolo por el suelo hasta que descanse junto a su pie derecho. Repita el proceso con el brazo izquierdo.

7 Vuelva hacia arriba las palmas de las manos, que sus hombros roten hacia delante y hacia abajo.

8 Cierre los ojos. Permita que su abdomen se relaje y deje caer el peso del cuerpo hacia el suelo.

9 Siga los pasos de «La respiración abdominal».

10 Mantenga la postura entre 5 y 10 minutos. Después eleve lentamente la frente e invierta los pasos hasta recuperar la postura inicial.

El estiramiento del perrito

Origen: Yoga Hatha. Excelente para aliviar el dolor lumbar y aumentar la flexibilidad y la fuerza.

🧍 **Objetivo: Aliviar el dolor en la espalda baja, media y superior**

🔄 **Referencia cruzada: Use «La respiración abdominal» (pág. 29) y «Observe su respiración» (pág. 28)**

🕐 **Frecuencia de uso: Puede usarse una o dos veces al día**

① **Nivel de dificultad 2: Es una técnica avanzada que requiere fuerza, flexibilidad y estamina**

🕐 **Duración: Empiece manteniendo la postura un minuto y luego aumente el tiempo hasta tres minutos, con varias repeticiones**

🌿 **Tratamiento complementario: «La postura infantil» (pág. 50)**

El estiramiento del perrito va destinado a estirar toda la columna. Si sus tendones de la corva o sus hombros están demasiado tensos, no alcanzará la extensión máxima. En lugar de ello, al principio sentirá el estiramiento en los brazos y la parte posterior de las piernas. Con el tiempo, a medida que se vayan estirando estas zonas, al final sentirá el estiramiento en la espalda. Ésta es una postura excelente para obtener bienestar y fortaleza en la espalda.

Cuando realice el primer estiramiento del día, vaya lentamente, para permitir que sus músculos se relajen y ablanden.

1

Primero familiarícese con la secuencia mecánica de colocarse en esta postura. Cuando la domine, podrá centrar la atención en la respiración abdominal durante la postura. Concentre su respiración en disolver cualquier tensión o molestia. Tenga cuidado y no contenga la respiración cuando se le tensen los músculos. Dirija la respiración para que siga tan estable y firme como le sea posible.

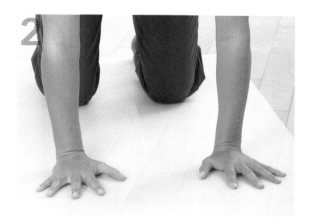

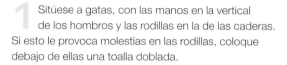

1 Sitúese a gatas, con las manos en la vertical de los hombros y las rodillas en la de las caderas. Si esto le provoca molestias en las rodillas, coloque debajo de ellas una toalla doblada.

2 Separe los dedos de las manos y presione las palmas sobre el suelo... Apoye los dedos de los pies.

3 Desplace el peso del cuerpo sobre las piernas, como si quisiera sentarse sobre ellas. Manteniendo los brazos estirados, despegue las rodillas del suelo, sin dejar de concentrar el peso del cuerpo sobre los pies.

4 Levante las rodillas hasta que las piernas estén estiradas del todo (si lo desea, puede conservar una cierta flexión en las rodillas). Desplace las caderas hacia atrás como si alguien se las hubiera atado con cuerdas y estuviese tirando de ellas suavemente. Mantenga firme el estómago (véase la ilustración). En este punto su posición recordará a la de una V invertida.

5 Mantenga los brazos estirados y empuje el suelo con las manos como si quisiera apartarse de él. Vaya concentrando el peso de su cuerpo sobre los muslos, mientras presiona el suelo con los tobillos. La rabadilla debe acercarse a la parte de la habitación situada a su espalda. Ahora, la forma de V se irá estirando de modo que su espalda y piernas estén estiradas formando una línea recta.

6 Rote los hombros hacia atrás y abajo, de modo que la columna quede recta. Sienta cómo los músculos dorsales se despegan de la columna, haciendo sitio. Si es posible, desplace el pecho todo lo que pueda hacia los muslos. Deje que su cabeza penda libremente.

7 Mantenga esta posición tres turnos, dirigiendo la respiración profunda al abdomen (cada turno es una inspiración y espiración completa). Empiece a abandonar esta postura trasladando el peso a los brazos y hombros. Entonces, vaya descendiendo hasta que descanse sobre sus manos y rodillas.

8 Repita esta postura tres veces. Cuando domine la técnica vaya ampliando el tiempo que dedica al ejercicio, manteniendo la postura entre uno y tres minutos por repetición.

Los dolores de cabeza

Las técnicas siguientes son muy eficaces para solucionar las migrañas o los dolores de cabeza derivados de la tensión:

a) El entrenamiento autógeno   b) Las rotaciones de hombro   c) El punto hoku

El entrenamiento autógeno

Origen: Johannes Schulz, psiquiatra y neurólogo alemán, fue el creador de esta técnica.

Objetivo: Aliviar el dolor y la duración de las migrañas

Frecuencia de uso: Cuando sea necesario, o tres o cuatro veces a la semana. Si padece una migraña, repita este ejercicio varias veces al día

Duración: Practique el ejercicio 15-20 minutos

Referencia cruzada: Use «La respiración abdominal» (pág. 29) y «Manos abiertas» (pág. 24)

Grado de dificultad 1: Son pasos fáciles de seguir

Tratamiento complementario: «La relajación muscular progresiva» (pág. 46)

Esta técnica se desarrolló en los años 30. Ha demostrado ser especialmente eficaz en el tratamiento de las migrañas.

1 Practique esta meditación tumbado o reclinado. Cierre los ojos... Practique «La respiración abdominal». Respire hondo, llenando su cuerpo de oxígeno.

2 Concéntrese en dos cualidades: la pesadez y la calidez. Comience la primera secuencia concentrándose en su pierna derecha... Lentamente, repita en silencio o en voz alta: «Mi pierna derecha me pesa y está caliente, mi pierna derecha me pesa y está caliente, mi pierna derecha me pesa y está caliente, estoy en paz» (o, si lo prefiere, «Estoy totalmente en calma»).

3 Concéntrese en su pierna izquierda, repitiendo tres veces la frase: «Mi pierna izquierda me pesa y está caliente», tras lo cual pronuncie una vez la frase «Estoy en paz». Entonces, repita tres veces: «Mis dos piernas pesan y están calientes», seguidas de una vez «Estoy en paz».

4 Céntrese en su brazo derecho, repitiendo tres veces «Mi brazo derecho me pesa y está caliente», seguidas de «Estoy en paz» una sola vez.

5 Pase ahora al brazo izquierdo repitiendo la misma secuencia.

6 Céntrese en el latido de su corazón mientras repite: «Mi latido es regular y tranquilo, mi latido es regular y tranquilo, mi latido es regular y tranquilo. Estoy en paz».

7 Centre su atención en su respiración, repitiendo: «Mi respiración es tranquila y relajada, mi respiración es tranquila y relajada, mi respiración es tranquila y relajada. Estoy en paz».

8 Ahora concéntrese en su abdomen. Repita: «Mi abdomen está tranquilo y relajado, mi abdomen está tranquilo y relajado, mi abdomen está tranquilo y relajado. Estoy en paz».

9 Por último, céntrese en su frente. Repita: «Mi frente está fresca, mi frente está fresca, mi frente está fresca. Estoy en paz».

10 En este momento habrá completado una secuencia. Repita la secuencia 15-20 minutos hasta que consiga los resultados pretendidos. Complete el entrenamiento autógeno repitiendo: «Brazos firmes, respiro hondo, abro los ojos».

Rotaciones de hombro

Origen: Occidental; libera los bloqueos de la cabeza, el cuello y la espalda, disipando así la tensión.

🚶 **Objetivo: Aliviar los dolores de cabeza comunes o relacionados con la tensión**

🔄 **Frecuencia de uso: Puede usarse cuando sea necesario**

🕐 **Duración: Las rotaciones de hombro se harán durante 5 minutos, las veces que sean necesarias**

↔ **Referencia cruzada: Use «Observe su respiración» (pág. 28)**

① **Grado de dificultad 1: Pruebe primero con esta técnica, pero si no alcanza los resultados deseados, pruebe con «El punto hoku» (pág. 56)**

🍃 **Tratamiento complementario: «La relajación muscular progresiva» (pág. 46)**

➕ **Remedio rápido**

Puede practicar este sencillo ejercicio sentado en una silla en casa o en el trabajo. Es más eficiente cuando se usa repetidas veces, para enseñar a relajarse a los músculos del cuello y de la cabeza.

1 Siéntese cómodamente en una silla, con los pies bien asentados en el suelo. Relájese pero manténgase erguido, inclinándose ligeramente hacia delante a la altura de las caderas (lo cual descarga la presión de la zona inferior de la espalda). Respire hondo unas cuantas veces, dirigiendo el aire hasta que llegue al vientre.

2 Incline la cabeza hacia delante sin tensar los músculos. Mantenga la posición... Respire hondo. Incline la cabeza hacia atrás. Mantenga la posición... Vuelva a respirar hondo. Repita este movimiento de cuatro a ocho veces.

3 Sin forzar, incline la cabeza hacia la derecha, de modo que la oreja derecha se acerque al hombro de ese lado... Respire hondo y cuente hasta tres. Incline la cabeza a la izquierda, acercando la oreja izquierda al hombro. Respire hondo y cuente hasta tres. Repita este movimiento de cuatro a ocho veces.

4 Eleve los dos hombros todo lo que pueda, atrayéndolos hacia las orejas... Ténselos y cuente: «Mil, dos mil, tres mil, cuatro mil»... Cambie abruptamente la postura profiriendo un «¡ja!». Repita el ejercicio cuatro veces.

5 Rote los hombros hacia delante, abriendo espacio en su espalda... Rote los hombros hacia arriba y hacia atrás. Repita el movimiento diez veces, concentrándose en su respiración. Invierta la dirección de las rotaciones de hombro, haciéndolos rotar primero hacia atrás y luego hacia arriba y hacia delante. Repita el ejercicio diez veces.

3  **4**  **5**

El punto hoku

Origen: Las antiquísimas prácticas orientales. En acupuntura se usa mucho para aliviar el dolor.

🚶 **Objetivo: Aliviar el dolor de cabeza fruto de la tensión o el estrés**

🕐 **Frecuencia de uso: Puede usarse diariamente**

⏱ **Duración: Mantenga la meditación 1-5 minutos**

↔ **Referencia cruzada: Use «La respiración abdominal» (pág. 29)**

① **Grado de dificultad 1: Esta técnica es de fácil realización**

🍃 **Tratamientos complementarios: «Contar la respiración» (pág. 57) y «La liberación del dolor» (pág. 59)**

➕ **Remedio rápido**

El punto hoku es un punto de acupresión que se usa ampliamente para el alivio del dolor. Se localiza en la unión entre los dedos índice y pulgar (véase fotografía). Se emplea para aliviar el dolor general, sobre todo los dolores de cabeza, el dolor artrítico, el dolor de hombros y el de muelas.

Cuidado: No estimule este punto si está embarazada, dado que se cree que produce contracciones prematuras.

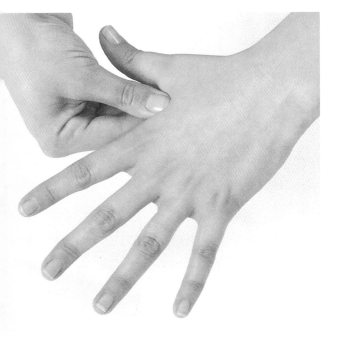

1 Puede aplicar este tratamiento en cualquier postura que le resulte cómoda... Respire hondo varias veces para limpiar su organismo.

2 Encuentre el punto más dolorido del músculo situado entre sus dedos índice y pulgar, en cualquiera de las dos manos. Presione este punto con firmeza y con la intensidad suficiente para producir un cierto dolor... Mantenga la presión y respire.

3 Siga presionando mientras, suavemente, mueve la cabeza hacia delante y hacia atrás como si estuviera diciendo que sí. Respire suave y regularmente mientras presiona este punto uno o dos minutos y luego dedíquese a la otra mano. Siga los mismos pasos.

4 Si el dolor de cabeza no remite, presione el punto hoku y, suavemente, mueva la cabeza de derecha a izquierda como si estuviera diciendo que no... Entonces añada el movimiento de llevar la oreja derecha hacia el hombro derecho y luego repítalo llevando la oreja izquierda hacia el otro hombro. Asegúrese de que presiona el punto el mismo tiempo en ambas manos.

5 Si desea recurrir a este punto para aliviar el dolor en otras partes del cuerpo, intente lo siguiente. Para la artritis, presione el punto mientras mueve la articulación dolorida. Para el dolor de los hombros, presione el punto mientras hace rotar el hombro suavemente.

El dolor crónico

Las siguientes técnicas de meditación son muy eficaces para aliviar el dolor crónico:

a) Contar la respiración   b) La liberación del color   c) La liberación del dolor

Contar la respiración

🚶 **Objetivo: Para aliviar el dolores intensos y recurrentes**

🕐 **Frecuencia de uso: Puede usarse cuando sea necesario**

🕙 **Duración: 1-5 minutos**

↔ **Referencia cruzada: Use «Manos abiertas» (pág. 24)**

① **Grado de dificultad 1: Practique esta técnica para aliviar el dolor intenso o los episodios de dolor agudo recurrente**

🍃 **Tratamientos complementarios: «La liberación del color» (pág. 58) y «La liberación del dolor» (pág. 59)**

➕ **Remedio rápido**

1 Puede realizar este ejercicio de pie o sentado.

2 Contenga la respiración mientras cuenta hasta cuatro: «Mil, dos mil, tres mil, cuatro mil».

3 Mientras espira, haga una cuenta regresiva desde seis: «Seis mil, cinco mil», etc.

4 Repita el ejercicio ocho ciclos o más.

Hay una variante posible que consiste en respirar deprisa. Esto conlleva inhalar el aire a través de la nariz, en respiraciones rápidas y breves. No practique esta técnica si padece hipertensión.

1 Inhale el aire rápida y brevemente, acompasándolo con cada latido del corazón... «Uno, dos, tres, cuatro.»

2 Exhale el aire muy lentamente... «Mil, dos mil, tres mil, cuatro mil.» Repita el ejercicio ocho o más ciclos.

La liberación del color

Origen: Occidental; se deriva del método de centrado que desarrolló el psicólogo y filósofo Eugene Gendlin, de la Universidad de Chicago.

Objetivo: Aliviar el dolor crónico y el dolor recurrente

Frecuencia de uso: Úsese cuando sea necesario

Duración: Practique el ejercicio de 5 a 10 minutos

Referencia cruzada: Use «La respiración abdominal» (pág. 29) y «Manos abiertas» (pág. 24)

Grado de dificultad 1: Recurra a esta técnica para aliviar el dolor crónico o el dolor agudo

«La liberación del dolor» (pág. 59)

Remedio rápido

1 Elija su postura preferida, sentado o tumbado, y concédase unos momentos para ponerse cómodo... Cierre los ojos y empiece a practicar «La respiración abdominal».

2 Cuando sienta que ha alcanzado el grado de relajación adecuado, concéntrese en ese lugar del cuerpo donde radica el dolor. Analice el dolor: ¿en qué punto es más intenso? ¿Cuál es su intensidad? ¿Cuáles sus cualidades?

3 Si su dolor tuviera un color, ¿cuál sería?

4 Céntrese en ese color... Respire hondo.

5 ¿Qué color disolvería el dolor?

6 Respire hondo y aporte a su interior ese color disolvente... Sienta cómo va borrando el dolor... Mientras espira, libere el color originario del dolor y sustitúyalo por el color que lo disuelve.

7 Repita la técnica varios ciclos hasta que sienta que ha liberado parte del dolor de esa zona.

8 Concentre su atención en otras zonas de su cuerpo que sienten dolor. Complete el ejercicio respirando de forma natural varias veces y abra los ojos.

La liberación del dolor

Origen: Oriental; derivado de la meditación consciente del budismo zen.

Objetivo: Aliviar el dolor crónico

Frecuencia de uso: Puede usarse siempre que sea necesario

Duración: 10-15 minutos

Referencia cruzada: Use «La respiración abdominal» (pág. 29) y «Manos abiertas» (pág. 24)

Dificultad 2: Debe mantener la concentración

Tratamiento complementario: «La relajación pasiva» (pág. 48)

Nota: Si empieza a sentir molestias o el grado de dolor se intensifica demasiado, simplemente abra los ojos, concluya la visualización y vuelva a intentarlo al cabo de un tiempo.

1 Elija una posición cómoda, sentado o reclinado, una postura que permita a su cuerpo estar relajado y bien asentado. Cierre los ojos y practique «La respiración abdominal»... Permita que todas las sensaciones de molestia o dolor de su cuerpo estén presentes en este momento.

2 Dirija su atención a un punto dentro de su cuerpo donde ha sentido molestias o dolores... Permita que la respiración le vaya trasladando lentamente hacia esas sensaciones.

3 Observe todas las emociones o pensamientos que le sugiera ese dolor... Respire y sugiérase que es conveniente explorar ese dolor y experimentar todas las sensaciones que le provoque.

4 Empiece a analizar el dolor... ¿Cómo puedo describirlo?... ¿Es concreto y está concentrado como un nudo tenso o se trata de una molestia más generalizada?... ¿Tiene una textura?... ¿Pesa o es ligero?... ¿El dolor es sordo, palpita, provoca un cosquilleo?

5 Con calma, dirija su atención a los tejidos que rodean el dolor... La respiración transmite consigo una luz apacible que penetra en los tejidos proporcionándoles calor... Esto crea un espacio para que el dolor esté allí, sin más.

6 Respire llevando el aire al dolor... La respiración le permite entrar en el dolor, haciéndole sitio a la molestia. Cuando acepte el dolor podrá liberarlo.

7 El dolor se ablanda en la plenitud de su cuerpo... La respiración crea el espacio necesario para sentir... aceptar... liberar... y sanar.

8 La respiración desata cualquier dureza o tensión que rodee los tejidos, tendones, músculos o huesos situados en torno al centro del dolor... El peso del dolor se despega de esta zona y empieza a alejarse flotando... Sienta ligereza en esa zona mientras el peso del dolor se eleva y le lleva a descansar en aguas tranquilas.

9 Descanse cómodamente, flotando sin sentir peso alguno... La respiración le hace mecerse suavemente sobre las aguas... Experimente la plácida sensación de la intemporalidad... Piérdase en la paz y la libertad de ese dejarse ir...

10 Puede quedarse en ese lugar todo el tiempo que necesite... Mientras se va reponiendo su energía, imagine un hermoso sol dorado que flota sobre su cabeza... Permita que su calor y su luz entren en su cuerpo... Vuelva a concentrar su atención en su cuerpo entero... Empiece a sentir el peso de su cuerpo... Menee los dedos de manos y pies.

11 Cuente lentamente de diez a uno... Abra los ojos.

La fatiga y la astenia

Las siguientes técnicas alivian la fatiga y la astenia:

a) La autocuración por reiki: el reciclaje de la fuerza vital

b) La esponja mental: la absorción de su fuerza vital

c) La carga renal/cromática

La autocuración por reiki: el reciclaje de la fuerza vital

Origen: El reiki es un arte curativo japonés que, según se piensa, tiene miles de años de antigüedad y se originó como una práctica del budismo tibetano.

🚶 **Objetivo: Aliviar la fatiga y la astenia**

🔄 **Frecuencia de uso: Puede usarse una o varias veces al día**

🕐 **Duración: De 1 a 5 minutos**

↔ **Referencia cruzada: Use «Manos abiertas» (pág. 24) y «Observe su respiración» (pág. 28)**

① **Grado de dificultad 1: Es un ejercicio fácil de hacer**

🌿 **Tratamiento complementario: «La bola dorada» (pág. 45)**

➕ **Remedio rápido**

El arte curativo japonés del reiki es un sistema basado en la imposición de manos, destinado a mejorar la salud y equilibrar la mente, el cuerpo y el espíritu. Cuando se practica la autocuración por reiki por primera vez, es conveniente hacerlo una vez al día durante el primer mes.

1 Elija una postura sentada, cómoda. Cierre los ojos. Respire hondo varias veces... La próxima vez que inspire, levante los hombros hacia las orejas y espire, dejando caer los hombros de golpe y pronunciando el sonido «¡ja!». Repita el proceso varias veces.

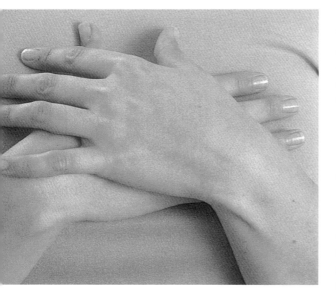

2 Coloque las manos sobre el centro del corazón, situado en el esternón, con las palmas hacia abajo. Coloque la mano izquierda sobre la derecha; respire hondo... Vuélvase hacia su interior mientras vincula su mente con la respiración... Recupere, atrayéndola, la fuerza vital que le han arrebatado las actividades cotidianas.

3 Su fuerza vital regresa en oleadas energéticas... La energía penetra por sus manos y se transmite al centro del corazón... Entonces empieza a reciclarse en su cuerpo.

4 Visualice una energía hermosa y dorada que proviene del universo y se conecta con el dorso de sus manos... Levante las manos y colóquelas justo debajo de sus clavículas... Las palmas deben estar hacia abajo y las manos deben descansar una junto a otra, con los dedos apuntándose unos a otros.

5 Esta compasiva fuerza vital universal se canaliza a través de sus manos y penetra en su cuerpo. Mientras entra en él, se mezcla con su propia fuerza vital, devolviendo a su cuerpo el equilibrio y la armonía.

6 Respire naturalmente mientras mantiene esta postura de las manos cinco minutos. Cuando vaya a concluir, deje caer las manos sobre el regazo... Con sus propias palabras, dé gracias por la energía recibida. Abra los ojos y vuelva a concentrar su atención al entorno que le rodea.

La esponja mental: la absorción de su fuerza vital

Origen: Se deriva de las enseñanzas místicas de la tradición de los rosacruces.

Objetivo: Superar la fatiga moderada o constante

Frecuencia de uso: Puede usarse diariamente

Duración: 10-15 minutos

Referencia cruzada: Use «Las manos en forma de copa» (pág. 25) y «La respiración abdominal» (pág. 29)

Grado de dificultad 2: Esta técnica requiere la capacidad de mantener la concentración

Tratamiento complementario: «El observador» (pág. 32)

La «esponja mental» es un instrumento poderoso para ayudarle a reclamar y revitalizar su fuerza vital. Usted mismo se enseña a reclamar su fuerza vital invertida en recuerdos, personas y acontecimientos.

1 Elija la postura que más le agrade. Cierre los ojos y practique «La respiración abdominal»... Deje que cualquier tensión se disuelva mientras avanza hacia un lugar en su mente envuelto en la paz, inalterado por las actividades y los pensamientos del día.

2 Comience el proceso de recuperar su fuerza vital. Con los ojos de su mente, forme la imagen de una esponja. Esta esponja puede ser de cualquier material, forma o tamaño. Puede elegir una esponja pequeña que tenga una gran capacidad para crecer. Esta esponja es de un color blanco o dorado brillante.

3 Envíe la esponja a recorrer su hogar, al salón... Dese cuenta de los lugares en los que ha dejado sus energías... Mire cómo la esponja va empapándose de fuerza vital... Permanezca relajado y conectado con su respiración...

4 Envíe la esponja a la cocina y al comedor para recoger la energía dispersa por esas estancias... Ella va brillando a medida que recoge su fuerza vital...

5 Envíe la esponja al baño... Quizá dejó energías tras de sí cuando salió corriendo para ir al trabajo o a alguna cita.

6 Si cree que la esponja está demasiado cargada, devuélvala a su cuerpo y estrújela... Envíe la esponja al dormitorio... Quizá dejó allí energía mientras dormía y soñaba...

7 Envíe la esponja al lugar de trabajo... Perciba la energía que puede haber dejado atrás, en un proyecto, un problema o una conversación con un compañero... Envíela a su agenda diaria... Detecte cualquier dosis de energía que pueda haber invertido en acontecimientos futuros...

8 Haga que la esponja regrese a su cuerpo y colóquela a unos 30 cm sobre su cabeza... Cree un sol dorado y enorme a su alrededor... Este sol baña su fuerza vital, que está regresando, dotándola del chi universal...

9 Estruje bien la esponja, de modo que toda la energía posible entre en su cuerpo... Empápese de ella y diríjala primero a la zona inferior del vientre y de la espalda... Dirija el chi al área de su plexo solar y su pecho... Dirija el chi a su tronco superior y su cabeza.

10 Vuelva a la consciencia contando de diez a uno... Abra los ojos y desperécese lenta y tranquilamente.

También puede enviar a la esponja para que absorba la energía de una relación, un problema o un proyecto futuro.

La carga renal/cromática

La carga hepática

Origen: Se trata de una terapia física Breema que tiene su origen en el pueblo kurdo de Breemava, situado en las montañas entre Irán y Afganistán. Según la filosofía médica oriental, los riñones y las glándulas adrenales son el almacén de la reserva energética de su cuerpo. Los ejercicios de la carga renal y cromática envían un impulso energético a los riñones y las glándulas adrenales, lo que fomenta el equilibrio y la armonía y combate la fatiga.

🚶 **Objetivo: Aliviar la fatiga**

🕐 **Frecuencia de uso: Puede usarse cada día**

🕐 **Duración: 1-5 minutos**

↔ **Referencia cruzada: «La respiración abdominal» (p. 29)**

① **Grado de dificultad 1: Exige un cierto grado de flexibilidad**

🌿 **Tratamiento complementario: «La limpieza y el equilibrado de los chakras» (pág. 34)**

⊕ **Remedio rápido**

1 Siéntese con las piernas cruzadas o con las plantas de los pies juntas, las rodillas relajadas y abiertas a los lados.

2 Respire e inclínese hacia delante... Estire los brazos delante de usted. Vuelva a coger aire...
Vaya estirando los brazos y permita que se vaya abriendo suavemente la parte inferior de la espalda.

3 Coja aire y enderece la columna. Con fuerza, palméese los riñones alternando las palmadas

(una con las manos abiertas, la siguiente con el puño cerrado) mientras inspira y espira tres veces.

4 Inspire y enderece la columna. Vuelva a inclinarse hacia delante, palmeándose vigorosamente los riñones alternando la posición de las manos, como en el paso anterior. Repítalo de cuatro a ocho veces.

5 Siéntese cómodamente y en calma durante unos instantes.

2

3

La carga cromática

1 Siéntese en una postura cómoda. Cierre los ojos y practique «La respiración abdominal».

2 Cuando se sienta relajado, concentre su atención en su tercer centro vital, situado en el plexo solar.

3 Visualice una brillante bola de energía amarilla que gira en el sentido de las agujas del reloj sobre su plexo solar. «Respírela» entre uno y cinco minutos.

4 Cuando esté listo, libere el color y abra los ojos. Practique esta visualización en el plexo solar una vez al día, durante 21 días seguidos.

El insomnio

Algunos trucos para dormir bien por las noches:

- Váyase a dormir y levántese cada día a la misma hora.
- Limite o evite las siestas, dado que éstas interfieren con el sueño nocturno.
- Evite ingerir cafeína, nicotina y alcohol a última hora de la tarde.
- Haga ejercicio regularmente.
- No beba demasiado líquido antes de acostarse, para no tener que acudir al lavabo durante la noche.
- Cree una rutina para ayudarle a relajarse antes de ir a dormir, como por ejemplo tomar un baño, leer o escuchar música.
- Evite usar la cama para todo lo que no sea dormir.
- Haga una lista de las cosas pendientes antes de irse a la cama, para aliviar las preocupaciones que le mantienen en vela por la noche.
- Si no logra conciliar el sueño, no se inquiete. Levántese y distráigase leyendo o realizando cualquier otra actividad que no suponga un estímulo físico.

Las siguientes meditaciones pueden combatir el insomnio:
a) La respiración calmante   b) El yoga mudra

La respiración calmante

Origen: Se trata de una combinación de budismo zen oriental y autohipnosis occidental destinada a calmar la mente y el cuerpo mediante el centrado de la respiración.

Objetivo: Ayudarle a dormir

Frecuencia de uso: Puede usarse cada noche

Duración: 5-10 minutos

Referencia cruzada: Úselo con «El yoga mudra» (pág. 66)

Grado de dificultad 1: De fácil realización

Tratamiento complementario: «La relajación muscular progresiva» (pág. 46)

Remedio rápido

1 Túmbese cómodamente sobre la espalda. Concéntrese en «La respiración abdominal».

2 Cuente hacia atrás, lentamente, de diez a uno, mientras visualiza cómo su cuerpo se va volviendo más pesado con cada número... «Diez mil... nueve mil»... Déjese llevar... «Ocho mil... siete mil... seis mil... cinco mil»... Déjese llevar aún más... «Cuatro mil... tres mil»... Relájese profundamente... «Dos mil... mil.»

3 Empiece otra cuenta regresiva desde diez. Entréguese al peso de su cuerpo y a la pesadez que lo invade... Sienta cómo se va hundiendo más y más...

4 Vuelva a diez y empiece a contar de nuevo hacia atrás, intentando sumirse en la meditación cada vez más profundamente.

5 Si empieza a pensar en otras cosas, limítese a centrarse en la respiración. Repita estos ciclos de cuenta atrás hasta que, de forma natural, concilie el sueño.

El yoga mudra

Origen: Sus raíces se pierden en el yoga Hatha y tántrico. La traducción del sánscrito yoga mudra significa «el gesto del yoga», y entre sus beneficios se cuenta ayudar a calmar la mente.

Objetivo: Ayudarle a conciliar el sueño

Frecuencia de uso: Puede usarse regularmente

Duración: 5-10 minutos

Referencia cruzada: Úselo con «La respiración calmante» (pág. 65)

Grado de dificultad 1: Es una postura sencilla que requiere un pequeño grado de flexibilidad

Tratamiento complementario: «El entrenamiento autógeno» (pág. 54)

Remedio rápido

1 Para realizar este ejercicio necesitará varios almohadones. Apílelos delante de usted de tal modo que lleguen a la altura de su cintura o su pecho cuando esté sentado. Tienen que estar lo bastante próximos a su cuerpo para alcanzarlos cuando se incline hacia delante. Siéntese delante de los cojines en una postura abierta, con las piernas cruzadas. Coloque un pie al lado de otro de tal manera que los tobillos estén alineados.

2 Coloque las manos en la espalda con las palmas hacia fuera. Con la mano derecha, cójase suavemente la izquierda.

3 Respire hondo. Mientras va soltando el aire, vaya inclinándose lentamente sobre las rodillas para apoyar la cabeza sobre los almohadones. Éste es un gesto simbólico para someter la actividad de la mente a la calma del corazón (si siente una tirantez molesta en las caderas, aumente el número de almohadones). Libere sus pensamientos o preocupaciones introduciéndolos en los cojines.

4 Respire y, al espirar, vuelva a colocar recta la espalda.

5 Repita la secuencia y empiece a contar sus respiraciones... Inspire y espire, inclinándose hacia delante, mientras cuenta hasta ocho... Con la cabeza en los cojines, cuente hasta cuatro... Inspire contando hasta ocho mientras coloca la espalda recta. Cuente hasta cuatro y exhale. Respire de nuevo y repita la secuencia.

6 Vaya a su propio ritmo, repitiendo esta secuencia ocho ciclos.

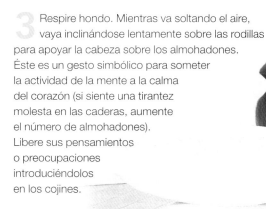

La inmunodeficiencia

Las técnicas siguientes contribuyen a reforzar el sistema inmunológico:

a) La estimulación del timo   b) La activación de la respuesta inmunológica

La estimulación del timo

Origen: Medicina energética de origen oriental. Se cree que la estimulación durante cinco minutos diarios del timo estimula la respuesta inmunológica.

(🏃) **Objetivo: Fortalecer el sistema inmunológico**

(🕐) **Frecuencia de uso: Úselo cada mañana**

(🕐) **Duración: 5 minutos**

(↔) **Referencia cruzada: Use «La respiración abdominal» (pág. 29)**

(1) **Grado de dificultad 1: Es una técnica sencilla que puede usarse diariamente**

(🌿) **Tratamiento complementario: «La activación de la respuesta inmunológica» (pág. 68)**

(➕) **Remedio rápido**

Golpee suavemente el timo cuando esté enfermo o se sienta especialmente estresado, o use este ejercicio como técnica preventiva durante cinco minutos, cada mañana.

1   Localice el timo, situado en la zona superior del pecho (véase foto).

2   Con tres dedos, comience a propinar toquecitos a la zona. Aumente la intensidad para activar la glándula.

3   Mantenga la estimulación cinco minutos mientras se concentra en «La respiración abdominal».

4   Repita el ejercicio varias veces al día si se enfrenta a una enfermedad o siente un grado de estrés particularmente fuerte.

La activación de la respuesta inmunológica

Origen: Una combinación de técnicas occidentales y orientales, que unen el conocimiento médico occidental con algunas prácticas energéticas orientales para aumentar la capacidad de respuesta inmunológica del cuerpo.

Objetivo: Fortalecer el sistema inmunológico

Frecuencia de uso: Como máximo una vez diaria

Duración: 15-20 minutos

Referencia cruzada: Use «Manos abiertas» (pág. 24) y «La cuerda de anclaje» (pág. 41)

Grado de dificultad 2: Esta técnica requiere la capacidad de mantener la concentración

Tratamiento complementario: «El drenaje linfático» (pág. 76)

1 Adopte una posición sentada o reclinada que le resulte cómoda. Cierre los ojos sin apretar los párpados, inspire y espire lentamente por la nariz, liberando cualquier tensión.

2 Que su inspiración y espiración sean plenas, haciendo una breve pausa entre ellas... La respiración transmite energía curativa que llena el suministro de su cuerpo... El oxígeno llega a todas las células... Cuando espira, libera suavemente toxinas que se eliminan. La energía de esas toxinas baja por su cuerda de anclaje y penetra en la tierra.

3 Concéntrese en los huesos largos de brazos y piernas. El aire penetra en los tejidos blandos dentro de los huesos, el tuétano. Aquí es donde se elaboran las células del sistema inmunológico.

4 Vea esos «leucocitos ayudantes» que se usan para luchar contra la infección... En silencio, diga: «Mis células inmunológicas están sanas y llenas de vitalidad».

5 Esas células llenas de energía se extienden por el cuerpo, llegando a los ganglios. Los linfáticos, con forma de judía, se concentran formando racimos en los laterales del cuello, los pechos, las axilas, el abdomen y la zona genital (véase ilustración). La luz azul de las células ayudantes penetra en los ganglios e irradia su potencia por el cuello, los pechos, las axilas, el abdomen y la zona genital.

6 La luz se ramifica por los vasos linfáticos, que constituyen una red compleja de vasos... Su cuerpo, intuitivamente, guía su consciencia por esta avenida de luz azul... La luz se transmite a sus órganos y se distribuye por todo el cuerpo.

7 Las células ayudantes patrullan por el cuerpo, buscando radicales libres, toxinas e impurezas. La luz azul, con suavidad, desprende los materiales de desecho que deben limpiarse y eliminarse... Respire hondo varias veces para limpiar su organismo...

8 Vuelva a concentrar su atención en el proceso sencillo de inspiración y espiración del aire.

9 Permita que su cuerpo se suma en un estado de tranquilidad y descanso mientras vuelve a concentrar su atención en todo su físico. Cuando esté listo, abra los ojos y desperécese lentamente.

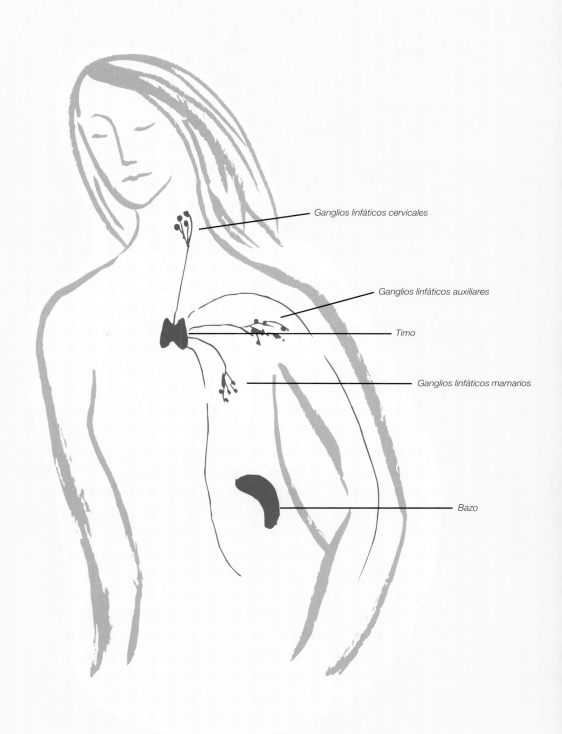

Ganglios linfáticos cervicales

Ganglios linfáticos auxiliares

Timo

Ganglios linfáticos mamarios

Bazo

Estas partes del cuerpo juegan un papel importante ayudando a desarrollar un sistema inmunológico fuerte.

Las náuseas

Los siguientes tratamientos contribuyen a reducir las náuseas:

a) El punto de reflexología   b) El giro suave

El punto de reflexología

Origen: La reflexología es una terapia basada en la presión, que según se cree ya se practicaba en el antiguo Egipto y que tiene raíces en las culturas china y japonesa.

Objetivo: Aliviar las náuseas leves y moderadas

Frecuencia de uso: Úsese cuando sea necesario

Duración: 2-5 minutos en cada pie

Referencia cruzada: Use «Cuente su respiración» (pág. 27) y «Los pies bien asentados» (pág. 30)

Grado de dificultad 1: Es una técnica de fácil realización

Tratamiento complementario: «El entrenamiento autógeno» (pág. 54)

Remedio rápido

La reflexología es una antigua terapia que consiste en presionar determinados puntos de los pies. Se cree que la planta del pie contiene puntos reflejos que se corresponden con los diversos órganos y nervios dentro del cuerpo.

Tenga este libro a mano, de modo que pueda fijarse en la fotografía inferior. En los mapas reflexológicos no suele señalarse, tradicionalmente, el punto de las náuseas; está situado en la zona pulmonar y bronquial, directamente debajo del tercer dedo del pie.

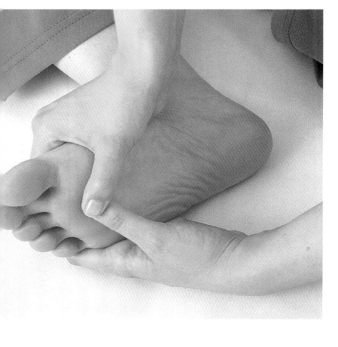

1 Elija una postura sentada cómoda y quítese los zapatos y los calcetines. Si le resulta cómodo, siéntese con las plantas de los pies juntas, permitiendo que las rodillas se abran y se relajen a los lados de las caderas.

2 Localice el punto de las náuseas, situado en la zona pulmonar y bronquial, directamente bajo el tercer dedo (véase la foto). Sitúe sus pulgares sobre esta zona en cada uno de los pies, por turno.

3 Respire hondo y presione firmemente sobre ese punto. Puede que detecte que la zona está dolorida o reblandecida. Cuando inspire la próxima vez, absorba el aire mientras cuenta hasta cuatro y exhálelo lentamente mientras cuenta hasta ocho y aplica una presión constante. Repita este proceso tres ciclos.

4 Ahora, presione hacia abajo y hacia los dedos al mismo tiempo, haciendo que la presión recorra la base del pie desde el punto de la náusea hasta los dedos. Hágalo mientras cuenta hasta cuatro y espire contando hasta ocho. Repita el ejercicio durante ocho ciclos.

5 Vuelva a situar los dos pies en el suelo para que eliminen cualquier toxina que esté desprendiéndose de su cuerpo. Respire hondo unas cuantas veces para limpiar el organismo y concluir el ejercicio. Repítalo las veces que sea necesario.

El giro suave

Origen: Se trata de una postura del yoga Hatha que gira el cuerpo por el centro del plexo solar, que es antiemético.

🚶 **Objetivo: Reducir las náuseas leves o moderadas**

🕐 **Frecuencia de uso: Úsese cuando sea necesario**

⏱ **Duración: 1-5 minutos**

↔ **Referencia cruzada: Use «Cuente su respiración» (pág. 27)**

① **Grado de dificultad 1: Es una técnica de fácil ejecución**

🍃 **Tratamientos complementarios: «El entrenamiento autógeno» (pág. 54)**

✚ **Remedio rápido**

1 Haga este ejercicio tumbado en el suelo o, preferiblemente, en una cama. Túmbese sobre la espalda con las rodillas flexionadas y las plantas de los pies sobre la superficie. Estire los brazos a los lados, situándolos a la altura de los hombros, formando una T.

2 Inspire y, mientras espira, permita que sus rodillas caigan suavemente hacia la derecha... Respire lenta y tranquilamente tres ciclos... Vuelva a elevar las rodillas y centre las caderas... Ahora deje que las rodillas caigan suavemente hacia la izquierda mientras inspira y espira otras tres veces.

3 Eleve las rodillas a la posición inicial y centre las caderas. Ahora amplíe la cuenta: inspire por la nariz mientras cuenta hasta cuatro y exhale lentamente por la boca

mientras cuenta hasta ocho. Intente despegarse emocionalmente de las náuseas «observando» las sensaciones que aparecen y desaparecen. Cuando crea estar listo, eleve las rodillas y centre las caderas.

4 Deje caer las rodillas hacia la izquierda. Inspire por la nariz mientras cuenta hasta cuatro y espire lentamente por la boca mientras cuenta hasta ocho. Repita este patrón respiratorio mientras, una vez más, se concentra en observar las náuseas.

5 Cuando crea estar listo, devuelva las rodillas a la posición vertical y centre las caderas. Ruede con todo el cuerpo para colocarse sobre el costado derecho. Quédese unos instantes en esa postura y respire con regularidad. Empujando con ambas manos, colóquese sentado. Tómese un momento para reajustarse.

La febrícula

Los siguientes tratamientos pueden ser eficaces para reducir la fiebre baja:

a) Expulsar el calor   b) La respiración refrigerante   c) Los chakras azules fríos

Expulsar el calor

Origen: Técnica basada en la imaginación guiada occidental.

🚶 **Objetivo: Reducir la fiebre**

⏱ **Frecuencia de uso: Úsese cuando sea necesario**

🕐 **Duración: Lapsos de 10-15 minutos, repetidos las veces que sean necesarias**

↔ **Referencia cruzada: «Los pies bien asentados» (p. 30)**

① **Grado de dificultad 1: Recurra primero a esta técnica para reducir la fiebre**

🌿 **Tratamiento complementario: «La respiración refrigerante» (pág. 73)**

➕ **Remedio rápido**

Esta técnica va destinada a liberar el calor de su cuerpo a través de los pies. Necesitará un par de calcetines gruesos, preferiblemente de lana.

1 Aparte de los calcetines de lana, necesitará agua fría, una toalla y una manta cálida. Empape los calcetines en agua fría o con hielo.

2 Siéntese en una silla de respaldo recto. Póngase los calcetines mojados y sitúe los pies sobre la toalla, de modo que las plantas estén bien asentadas en el suelo. Envuélvase el cuerpo con la manta.

3 Cierre los ojos y empiece a centrarse en su respiración durante algunos ciclos... La próxima vez que espire, imagine que por las plantas de los pies irradia una luz... Esta luz forma raíces que penetran en la tierra. Con cada respiración, las raíces van penetrando más y más en la tierra, hasta que sienta un vínculo firme y seguro. Esas raíces le ayudarán a liberar su cuerpo de la fiebre.

4 Imagine que la fiebre es un calor rojo que se extiende por todo su cuerpo. Sienta la fuerza gravitacional que atrae este calor hacia abajo, desprendiéndolo de su cabeza, cuello y hombros... El calor va descendiendo por la parte superior de su espalda, su tórax y la zona lumbar... Siga respirando lentamente mientras el calor va bajando por sus piernas hasta sus pies y sale por las plantas hasta la tierra.

5 La frialdad de los calcetines contribuye a extraer el calor de su cuerpo mientras usted lo va enviando a la tierra a través de las raíces. Siga irradiando el calor hasta que alcance los resultados deseados. Si es necesario, vuelva a meter los calcetines en agua y repita el ejercicio. Cuando esté listo, quítese los calcetines y póngase otros secos.

La respiración refrigerante

Origen: Técnica respiratoria occidental.

(🚶) **Objetivo: Reducir la fiebre**

(🕑) **Frecuencia de uso: Cuando sea necesario bajar la fiebre**

(🕐) **Duración: 1-3 minutos**

(↔) **Referencia cruzada: Use «La respiración abdominal» (pág. 29)**

(1) **Grado de dificultad 1: Es un ejercicio sencillo**

(🍃) **Tratamiento complementario: «Expulsar el calor» (pág. 72)**

(➕) **Remedio rápido**

Esta sencilla técnica respiratoria contribuye a reducir la fiebre. Debe respirar con la boca ligeramente abierta para refrescar el cuerpo. En principio, es una técnica parecida a la que usan los perros cuando jadean para aliviarse del calor.

1 Puede practicar este ejercicio en cualquier postura. Abra la boca ligeramente, dejando que la lengua descanse relajada tras los dientes inferiores. Cuando inspire, haga pasar el aire sobre la lengua, sintiendo su humedad. Inhale lentamente mientras cuenta hasta cuatro.

2 Cuando exhale, mantenga la boca ligeramente abierta mientras envía el aliento al exterior pasando por la lengua y cuenta lentamente hasta cuatro.

3 Con la siguiente inspiración, imagine que entra en su boca una gélida neblina azulada mientras siente la humedad moviéndose por su boca, refrescando su cuerpo. Cuando espire, imagine ese calor exhalado como si fuera una niebla cálida que pasa sobre su lengua.

4 Repita este patrón respiratorio de uno a tres minutos. Vuelva a respirar con normalidad y, si es necesario, repita este tipo de respiración con la boca abierta.

Los chakras azules fríos

Origen: Técnica respiratoria occidental.

🏃 **Objetivo: Bajar la fiebre**

🕐 **Frecuencia de uso: Úsese siempre que sea necesario**

🕐 **Duración: 5-10 minutos**

↔ **Referencia cruzada: Use «La respiración abdominal» (pág. 29) y «La cuerda de anclaje» (pág. 41)**

① **Grado de dificultad 2: Es una técnica muy eficaz para tratar una fiebre persistente**

🌿 **Tratamiento complementario: «La respiración refrigerante» (pág. 73)**

Si bien ésta es una técnica muy eficaz, puede tardar más en reducir la fiebre que las otras anteriores.

1 Elija una silla cómoda, con respaldo recto. Cierre los ojos y conecte su mente con su respiración.

2 Cree una cuerda de anclaje y entregue el peso de su cuerpo a la silla.

3 Centre la atención en el chakra de la coronilla. Vea cómo en este centro se va formando un bloque de hielo azulado y transparente.

4 Inspire y haga que el bloque de hielo descienda hasta el sexto chakra en el centro de la cabeza. Sienta cómo el hielo refresca su cabeza y cómo los vasos sanguíneos se van estrechando para bajar la fiebre.

5 El hielo se derrite y baja por su garganta, extendiendo un alivio refrescante y calmante...

6 El hielo azul llega hasta el chakra del corazón... La masa gélida se extiende por el pecho y la parte superior de la espalda, refrescándola lentamente y haciendo bajar la temperatura de la fiebre.

7 Respire con naturalidad mientras la niebla azulada y fría penetra en el tercer chakra, situado en el plexo solar... La frescura del azul relaja y calma el cuerpo.

8 El hielo frío sigue fundiéndose y bajando por el cuerpo, empezando a llenar el segundo chakra, a unos dos o tres dedos por debajo de su ombligo... Este centro empieza a llenarse de un azul brumoso...

9 Su respiración sigue haciendo que este hielo azul baje hasta el primer chakra, situado en la rabadilla... El azul disuelve y enfría el rojo de este centro... Imagine que su temperatura baja otro grado.

10 Una vez haya alcanzado este chakra, el situado más abajo, concentre su atención de nuevo en la coronilla y vea la niebla azul y fría que fluye como un río de frescor por su columna vertebral... Respire ocho veces seguidas conservando esta imagen en la mente. Cuando acabe, abra los ojos y beba un vaso de agua fría.

Resfriados, gripes, faringitis

Las siguientes técnicas son eficaces para tratar los resfriados, las gripes y las faringitis:

a) La limpieza de los ganglios linfáticos   b) El drenaje linfático

La limpieza de los ganglios linfáticos

Origen: Bruce Chikly desarrolló la terapia de drenaje linfático, que conlleva una serie de maniobras manuales sutiles destinadas a contribuir a la recirculación de la linfa, lo cual acelera la eliminación de toxinas.

⚐ **Objetivo: Limpiar los ganglios linfáticos**

⟳ **Frecuencia de uso: Úselo cuando sea necesario**

⏱ **Duración: Unos 15-20 minutos**

↔ **Referencia cruzada: Use «La cuerda de anclaje» (pág. 41)**

① **Grado de dificultad 1: Es una forma rápida de eliminar las toxinas del cuerpo**

⬬ **Tratamiento complementario: «El drenaje linfático» (pág. 76)**

✚ **Remedio rápido**

Hay que practicar este tratamiento en el baño; use una almohada de baño donde recostar el cuello.

Elija uno de los siguientes tratamientos:

- 1-2 puñados de sales minerales y 1-2 tazas de vinagre de manzana (estos ingredientes eliminarán las toxinas de los ganglios linfáticos)
- 1/4 de taza de leche o nata líquida, 3 gotas de aceite de camomila, 3 gotas de aceite de lavanda y 3 gotas de aceite de romero (esto aliviará la tensión y relajará los vasos sanguíneos)

Cuidado: Los aceites esenciales mencionados hay que tratarlos con cuidado. Si bien se consideran esencias beneficiosas para un uso tópico externo, no deben ingerirse. Compruebe siempre antes que su piel no presenta alergias a este tipo de sustancias; diluya los ingredientes en agua y aplíquelos a una pequeña porción de su piel en el brazo. Si en un periodo de 24 horas aparece alguna rojez, no use ese ingrediente.

1 Prepare un baño entre templado y caliente, y añada los componentes que haya elegido.

2 Métase en la bañera y apoye el cuello y la cabeza sobre el extremo de la misma, descansándolos en la almohada. Respire hondo mientras permite que el calor del agua penetre profundamente en sus músculos.

3 Cree una cuerda de anclaje para liberar energéticamente las toxinas y cualquier bloque energético.

4 Visualice sus ganglios linfáticos. Los ganglios principales se hallan apiñados tras las orejas, a lo largo de los laterales del cuello, bajo las axilas y en la cavidad abdominal y la entrepierna. Estos ganglios se mueven y limpian los fluidos de su cuerpo. Los ganglios linfáticos se conectan mediante una amplia red de vasos linfáticos, de forma muy parecida a la de nuestro sistema circulatorio.

5 Pase las manos una y otra vez por la superficie del agua, imitando el ritmo del océano cuando las olas lamen suavemente la arena... El ritmo del agua late por su cuerpo, moviéndose por los vasos linfáticos... Vea cómo los ganglios linfáticos principales se limpian con el movimiento del agua... El ritmo latente, suavemente, desprende y arrastra las toxinas...

6 Céntrese en su cuerda de anclaje... La energía de las toxinas se reúne en la base de su columna y a través de la cuerda de anclaje desciende hasta penetrar en la tierra... Cuando llega a ella, ésta la neutraliza y la recicla en energía nueva... Respire hondo, dirigiendo las toxinas para que salgan de su cuerpo y bajen por la cuerda...

7 Vuelva a concentrarse en el sencillo flujo de la inspiración y la espiración.

8 Para completar esta meditación limpiadora, aclárese con agua fresca, de modo que cualquier residuo tóxico que pueda quedar se vaya por el desagüe.

El drenaje linfático

(🏃) **Objetivo: Mejorar la circulación linfática**

(🕐) **Frecuencia de uso: Úselo cada día o cuando lo necesite**

(⏱) **Duración: Realícelo en segmentos de 5 minutos**

(↔) **Referencia cruzada: Use «La respiración abdominal» (pág. 29)**

(①) **Grado de dificultad 1: Es una técnica sencilla**

(🌿) **Tratamiento complementario: «La activación de la respuesta inmunológica» (pág. 68)**

(➕) **Remedio rápido**

Esta técnica terapéutica conlleva una serie de maniobras manuales sutiles para contribuir a la recirculación linfática, dado que acelera la eliminación de impurezas y toxinas.

1 El diagrama de la página 77 ilustra el sistema linfático de la zona del cuello y la clavícula.

2 Empiece abriendo el principal conducto torácico situado justo debajo de la clavícula. Junte los dedos y sitúe el dorso de estos sobre los lados de su cuello (véase la fotografía).

3 Muy ligeramente, empiece a mover los dedos hacia abajo, como un masaje. Muévalos hacia los huecos situados tras las clavículas, dirigiéndolos un poco hacia la zona del corazón... Ese movimiento acariciador empieza hacia la mitad del cuello. Presione hacia dentro y hacia abajo mientras cuenta hasta tres y descanse mientras cuenta hasta tres... Desplace los dedos por el cuello, hacia abajo, y luego vuelva al punto inicial... Practique movimientos ligeros, superficiales, como si estuviera acariciándose la piel. Repítalo de tres a cinco veces.

4 Desplace los dedos subiendo por el cuello de forma progresiva, comenzando en la base. Las caricias mueven el sistema linfático, que fluye como el océano.

Presione hacia dentro y hacia abajo mientras cuenta hasta tres y relaje la zona mientras vuelve a contar tres... Sitúe los dedos en un punto ligeramente más alto del cuello y repita la operación... Presione contando hasta tres, libere contando hasta tres... Siga con este movimiento hacia arriba hasta que alcance la zona situada tras sus orejas, en la parte superior de su cuello.

5 Esta zona se denomina la Noria. Aquí presione con un poco más de intensidad, pero sin sentir molestias. Presione contando hasta tres, desplazando el masaje hacia abajo... Libere contando hasta tres... Desplace un poquito y de nuevo los dedos cuello abajo, presionando mientras cuenta hasta tres... Descanse contando hasta tres... Repita el ciclo tres veces más.

6 Volviendo a partir de la base del cuello, en el segundo ciclo, sitúe el dorso de sus dedos hacia la parte posterior del cuello... Presione mientras cuenta hasta tres y descanse el mismo tiempo... Siga con este movimiento por la parte posterior del cuello y luego cuello abajo, devolviendo el fluido al conducto torácico situado en las depresiones tras la clavícula...

7 Invierta el movimiento para dirigir la linfa cuello abajo, hacia el conducto torácico... Repita este ciclo tres veces más.

Si mejora la circulación del sistema linfático en la zona del cuello, contribuirá a eliminar toxinas e impurezas.

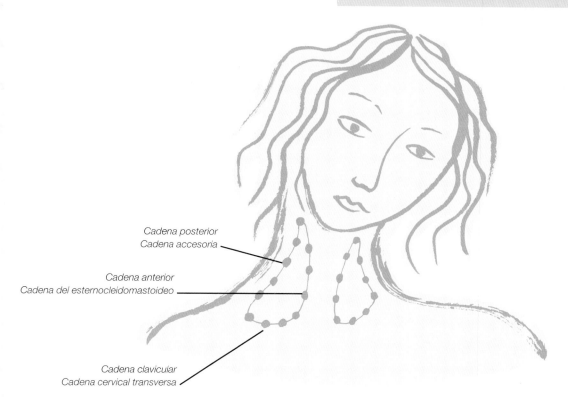

Cadena posterior
Cadena accesoria

Cadena anterior
Cadena del esternocleidomastoideo

Cadena clavicular
Cadena cervical transversa

2

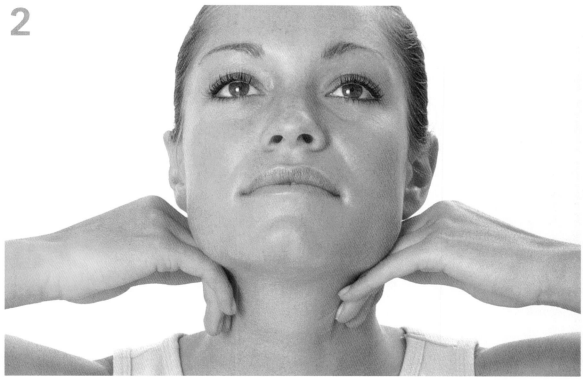

La congestión nasal

Contacte con su médico si:

- Se le enrojecen o hinchan los párpados o las mejillas (un indicio de infección).
- La congestión nasal se prolonga más de una semana.
- Tiene fiebre más de una semana.
- Las secreciones nasales son verdes o amarillentas y siente presión en los senos nasales.

Las siguientes técnicas son eficaces para tratar la congestión sinusal:

a) Los toquecitos nasales   b) La inclinación hacia delante: Uttanasana   c) Despejar los pasajes sinusales

Los toquecitos nasales

Origen: Enfoque medicinal energético procedente de Oriente.

(🚶) **Objetivo: Aliviar la congestión nasal**

(🕐) **Frecuencia de uso: Úsese cuando sea necesario**

(⏱) **Duración: Prolongue los toquecitos entre 1 y 5 minutos y repita el proceso las veces necesarias**

(↔) **Referencia cruzada: Use «Observe su respiración» (pág. 28)**

(1) **Grado de dificultad 1: Cuando tenga congestión nasal, pruebe esta técnica la primera**

(🍃) **Tratamientos complementarios: «El drenaje linfático» (pág. 76) y «El punto hoku» (pág. 56)**

(➕) **Remedio rápido**

1 Este ejercicio puede hacerse sentado o de pie. Coloque los dedos sobre la parte superior de sus mejillas, a unos 2,5 cm por debajo de los ojos.

2 Tamborilee con los dedos, vigorosa y rápidamente, pasando por las mejillas. Estos toquecitos pueden producir cierta molestia, dependiendo del grado de sensibilidad de las cavidades nasales... Concéntrese en su respiración.

3 Ahora alterne el tamborileo, comenzando junto al puente de la nariz y desplazando los dedos por toda la mejilla, de derecha a izquierda.

4 Pase las manos por encima de las cejas y prosiga con el vigoroso golpeteo mientras se concentra en su respiración. Luego empiece a alternar el tamborileo de los dedos derechos a los izquierdos, comenzando en el punto medio situado justo entre los ojos y por encima de ellos. Vaya desplazando los dedos hacia las sienes.

5 Acabe el ejercicio con unas cuantas respiraciones hondas.

3

La inclinación hacia delante: Uttanasana

Origen: Tradición yóguica tántrica, Hatha y algunas otras. Esta postura hacia delante aumenta el flujo sanguíneo hacia la cabeza, contribuyendo a abrir los conductos sinusales.

🧍 **Objetivo: Aliviar la congestión nasal**

🔄 **Frecuencia de uso: Siempre que se necesite**

🕐 **Duración: 1-2 minutos, repetidas veces**

↔️ **Referencia cruzada: Use «La respiración abdominal» (pág. 29)**

① **Grado de dificultad 1: Pruebe esta técnica si es capaz de doblarse hacia delante sin sentir grandes molestias**

🌿 **Tratamiento complementario: «El drenaje linfático» (pág. 76)**

➕ **Remedio rápido**

Cuidado: No use esta técnica si padece hipertensión.

1 Esta postura se hace de pie. Sitúese con la espalda a unos 30 cm de una pared.

2 Flexione las rodillas para no sobrecargar las lumbares. Lentamente, comience a inclinarse hacia delante, permitiendo con suavidad que sus caderas y nalgas se apoyen en la pared si es necesario. Libere cualquier tensión en el cuello y deje que la cabeza se relaje completamente y los hombros y brazos pendan libremente.

3 Mientras se concentra en su respiración, abra la boca ligeramente. Su cabeza sigue moviéndose hacia el suelo. Inclínese sólo hasta el punto en que se sienta a gusto, con cuidado de no forzar la espalda inferior o la cara posterior de los muslos.

4 Descanse en esta postura, permitiendo que todo el peso de su torso se desplace hacia el suelo. Es posible que los conductos sinusales congestionados le hagan sentir cierta presión en la cabeza. Esto es normal. Esta postura invertida potenciará la circulación de sangre y fluidos hacia la cabeza y por los conductos obturados. Concéntrese profundamente en su respiración... El movimiento del oxígeno limpia las cavidades sinusales... La respiración alivia los pasajes inflamados y, suavemente, comienza a abrirlos, permitiendo que el oxígeno fluya con mayor libertad...

5 Mantenga la postura uno o dos minutos mientras se concentra en la respiración. Lentamente, vaya irguiéndose. Muévase poco a poco para minimizar la sensación de mareo o vértigo que pudiera producirse.

2

Despejar los pasajes sinusales

Origen: Occidental; imaginería guiada basada en la medicina occidental.

Objetivo: Aliviar la congestión crónica

Frecuencia de uso: Úselo cuando sea necesario

Duración: 5-7 minutos, hacerlo las veces necesarias

Referencia cruzada: Use «La respiración abdominal» (pág. 29) y «Los pies bien asentados» (pág. 30)

Grado de dificultad 2: Requiere la capacidad de mantener la concentración

Tratamiento complementario: «El drenaje linfático» (pág. 76)

1 Elija su postura sentada más cómoda. Cierre los ojos sin apretar los párpados y empiece a practicar «La respiración abdominal».

2 Inspire y sujétese la nariz con el índice y el pulgar. Con la boca cerrada, sople suavemente como si estuviera inflando un globo. Esto hace que el aire se desplace al oído medio, abriendo rápidamente las trompas de Eustaquio. Puede que sienta una presión suave o moderada, dependiendo de su grado de congestión.

3 Vuelva a concentrarse en su respiración... Visualice sus trompas de Eustaquio, que van desde la garganta hasta la parte interna del oído. Estos conductos están situados en la parte trasera de la nariz, tras el velo del paladar, y conducen hacia arriba y hacia atrás con un ángulo de unos 45 grados, hacia el oído interno.

4 Imagine que puede respirar hacia dentro a través del tubo, como si estuviera aspirando con una pajita... Vea una luz brillante de un violeta azulado... Esa luz viaja desde la parte trasera de la nariz, en el velo del paladar, hasta llegar al oído interno.

5 Céntrese en su respiración mientras se concentra en esa luz violeta azulada que se extiende por los conductos llegando hasta las cavidades sinusales. Estas cavidades están situadas, a modo de bolsillos, por encima y por detrás de sus ojos, tras las mejillas y los dientes superiores. Imagine que la luz colorida penetra en esas zonas y disuelve los taponamientos de conductos y senos nasales.

6 La respiración empieza a desplazar el bloqueo energético... Va despejando todo el camino hasta su cuerda de anclaje, penetrando luego en la tierra.

7 Siga centrándose tanto en despejar la energía bloqueada como en esa luz azul radiante.

8 Cuando esté listo, vuelva a centrar su atención en las simples inspiraciones y espiraciones de aire... Abra los ojos.

El asma y la bronquitis

Las siguientes técnicas meditativas son útiles para aliviar el asma y otros problemas de los bronquios:

a) Los puntos reflexológicos pulmonares

b) La apertura bronquial

Los puntos reflexológicos pulmonares

Origen: La reflexología es una terapia basada en puntos de presión que, según se cree, se remonta al antiguo Egipto y está vinculada con las culturas china y japonesa.

Objetivo: Aliviar la congestión pulmonar y despejar los bronquios

Frecuencia de uso: Úselo siempre que sea necesario

Duración: 10 minutos

Referencia cruzada: Use «La respiración abdominal» (pág. 29) y «Los pies bien asentados» (pág. 30)

Grado de dificultad 1: Es una técnica de fácil realización

Tratamiento complementario: «La apertura bronquial» (pág. 83)

Remedio rápido

1 Siéntese descalzo en una postura cómoda. Cruce la pierna situando el pie elegido sobre la rodilla de la otra pierna, de modo que la planta del pie mire hacia arriba. Tome el pie con las manos y sitúe los dedos sobre el punto de los pulmones (consulte la ilustración).

2 Sitúe los dos pulgares uno al lado del otro y presione con firmeza sobre este punto. Puede que detecte una cierta molestia o morbidez en la zona. Respire hondo contando hasta cuatro y, lentamente, exhale el aire mientras cuenta hasta ocho, sin dejar de aplicar una presión constante. Repita el ejercicio ocho ciclos.

3 Ahora comience a alternar los pulgares, aplicando la presión primero con uno, luego con el otro. Masajee la zona de adelante hacia atrás mientras poco a poco, y con cada presión del pulgar, intenta profundizar más. Siga concentrándose en contar su respiración.

4 Cambie de pie. Repita el proceso unos cinco minutos con cada uno.

5 Cuando concluya, vuelva a poner ambos pies en el suelo. Respire hondo varias veces para limpiar el organismo y completar el ejercicio.

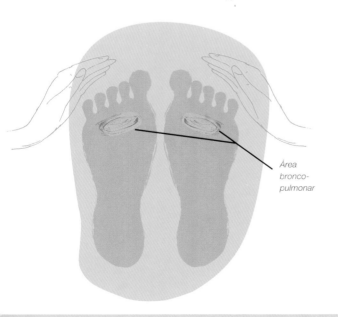

Área bronco-pulmonar

Aplicar una presión firme en esta parte del pie puede contribuir a aliviar la congestión en los pulmones.

La apertura bronquial

Origen: Occidental; imaginería guiada basada en la medicina occidental y en las prácticas energéticas orientales.

🚶 **Objetivo: Abrir los conductos bronquiales**

🕐 **Frecuencia de uso: Úselo siempre que lo necesite**

🕐 **Duración: 10-15 minutos**

↔ **Referencia cruzada: Use «La respiración abdominal» (pág. 29) y «Los pies bien asentados» (pág. 30)**

① **Grado de dificultad 2: Requiere la capacidad de mantener la concentración**

🌿 **Tratamiento complementario: «El entrenamiento autógeno» (pág. 54)**

1 Empiece esta meditación familiarizándose con el sistema respiratorio (vea la ilustración de la página 84). Elija la posición sentada que más cómoda le resulte. Cierre los ojos y practique «La respiración abdominal».

2 Tómese un tiempo para establecer una conexión de anclaje con la tierra... Siga el rastro de su respiración. Inspire aire fresco por la nariz. Sienta cómo ese aire se desplaza por las cavidades sinusales, esos espacios huecos que sirven para regular la humedad y temperatura del aire.

3 Sienta el aire que viaja por su garganta y su tráquea... Intente sentir cómo el aire va descendiendo más y más...

4 El aire pasa por la tráquea llegando hasta los pulmones... Luego pasa por los bronquios, que conducen a los pulmones izquierdo y derecho...

5 Los bronquios están recubiertos de cilios, pelillos diminutos que se mueven cuando el aire pasa por ellos, actuando como cepillos en miniatura que retienen el polvo y los gérmenes... Éstos se recogen en la mucosa y luego los expulsamos mediante la tos...

6 Los bronquios se ramifican en el pulmón derecho... El pulmón derecho tiene tres lóbulos, cada uno de los cuales es como un globo lleno de diminutas esponjas... Otro bronquio se ramifica en el pulmón izquierdo, que tiene dos lóbulos... El oxígeno infla los lóbulos como un globo...

7 Las ramificaciones más pequeñas de los bronquios se llaman bronquiolos... Al final de los bronquiolos hay unos diminutos sacos aéreos llamados alvéolos, el destino final del oxígeno... Aquí el oxígeno se absorbe e incorpora al torrente sanguíneo, y se exhala en forma de dióxido de carbono...

8 Vuelva a concentrarse en el aire que entra por su nariz... Visualice un color azul cielo que penetra con el aire... Siga ese azul cristalino mientras recorre las cavidades sinusales, recibiendo humedad...

9 Ese color azul cielo se desplaza por la garganta y la tráquea hasta llegar a los bronquios... El aire azul se mueve por los cilios, limpiando el polvo y los gérmenes... El aire azul rebaja la mucosa, facilitando la respiración...

continúa ➡

*Centrarse en sus bronquios puede ayudarle
a mejorar problemas como el asma.*

10 El azul cristalino se divide en los lóbulos
izquierdo y derecho de los pulmones...
El azul calma y refresca la inflamación de los
bronquios... Permite que el aire circule libre y
suavemente por las ramificaciones de los
bronquiolos...

11 El color azul penetra en esos diminutos
saquitos al final de los bronquiolos...
Cada saco aéreo se infla por completo,
recibiendo el oxígeno vital y enviándolo
al torrente sanguíneo...

12 Repita este ciclo de luz azul
durante 10-15 minutos. Cuando
esté listo, inspire varias veces el aire
que limpia y abra los ojos.

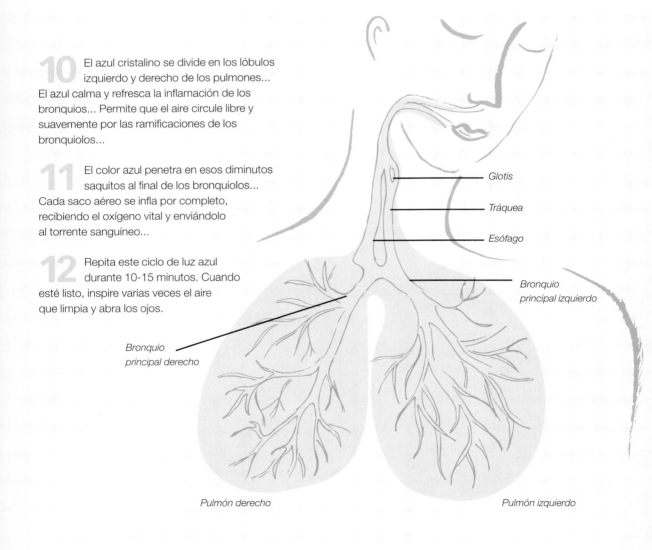

Glotis

Tráquea

Esófago

*Bronquio
principal izquierdo*

*Bronquio
principal derecho*

Pulmón derecho

Pulmón izquierdo

La hipotensión y la hipertensión

Los siguientes ejercicios meditativos son muy eficaces para tratar la hipotensión y la hipertensión:

a) El ritmo cardíaco   b) Relajar y rejuvenecer

El ritmo cardíaco

Origen: Occidental; imaginería guiada destinada a reducir el ritmo interior de la persona para alcanzar el equilibrio, regulando así la presión sanguínea.

Objetivo: Aliviar la hipotensión o hipertensión

Frecuencia de uso: Puede realizarse cada día

Duración: 5-10 minutos

Referencia cruzada: «El mudra del conocimiento» (pág. 25) y «La respiración abdominal» (pág. 29)

Grado de dificultad 2: Hay que mantener el centrado

Tratamiento complementario: «La relajación muscular progresiva» (pág. 46)

1 Elija la postura de meditación que le resulte más cómoda. Cierre los ojos y sitúe las manos en la posición del mudra del conocimiento... Respire hondo varias veces para limpiar su cuerpo...

2 Siga el ritmo natural de su respiración... La respiración entra y sale, como las olas... El abdomen se levanta y desciende en un suave ritmo, como un baile... Una vez sube, otra vez baja... Arriba y abajo... Entrando y saliendo...

3 Su vida es una danza que pasa de un momento a otro, paso tras paso... ¿Qué tipo de baile usaría para definir cómo es su vida?... ¿Un ritmo rápido, como un *fox-trot*, rítmico como un *swing* o quizá la encantadora cadencia de un vals?... En ocasiones su baile puede cambiar. Cuando se sienta presionado, es muy probable que el baile se vuelva más rápido.

4 Perciba el ritmo de su danza vital... Tome el baile de su vida y reduzca el ritmo... Aminore los pasos de su vida, de modo que pueda observarlos... Paso a paso... Empiece a sentir la agradable cadencia de un vals... Un, dos, tres... Un, dos, tres... Un, dos, tres... Sienta el balanceo rítmico de cada paso... La vida es su pareja de baile...

5 Mientras reflexiona sobre el ritmo de su vida, inserte algunas pausas entre una actividad y la siguiente... Al tomarse un tiempo para descansar de un movimiento al siguiente, empezará a disfrutar del proceso y se liberará de la obsesión de mantener un movimiento constante...

6 La riqueza está presente en todos los pasos del camino... En un baile, cada paso es importante y cada pausa lo es también... El baile no puede realizarse sin que la mente, el corazón y el cuerpo se muevan al unísono... Dese cuenta de si está conjuntado con la música que impulsa su vida... Aminore los pasos del baile... Véase tomándose el tiempo necesario para detenerse y respirar mientras realiza las actividades cotidianas.

7 Pida a su sabiduría interior que le muestre cómo puede perder el ritmo de su vida... Pregúntele cómo mantenerlo... Siga el ritmo de su respiración mientras escucha... Imagine que su corazón late con un ritmo perfectamente compenetrado... El cuerpo se adapta al ritmo... La mente se une al cuerpo y sus actos lo reflejan en la vida cotidiana...

8 Vuelva a centrar la atención en el flujo natural de la respiración... Cuente lentamente de diez a uno para recuperar la consciencia de vigilia... «Diez mil... Nueve mil...», etc.

Relajar y rejuvenecer

Origen: Prácticas de relajación occidentales, destinadas a reducir el estrés y a equilibrar la presión sanguínea.

🚶 **Objetivo: Tratar la presión sanguínea alta o baja**

🕐 **Frecuencia de uso: Diariamente o cuando lo necesite**

🕑 **Duración: 10-15 minutos**

↔ **Referencia cruzada: Use «La respiración abdominal» (pág. 29) y «Manos abiertas» (pág. 24)**

① **Grado de dificultad 1: Se requiere un grado de concentración básico**

🌿 **Tratamiento complementario: «El entrenamiento autógeno» (pág. 54)**

➕ **Remedio rápido**

1 Elija su postura de meditación preferida... Cierre los ojos... Sitúe la lengua sobre el paladar... Siga su respiración mentalmente.

2 Cree un sol brillante, cálido y dorado, situado a unos 25-30 cm sobre su cabeza... Haga que este sol dorado libere su calor radiante y que éste penetre en su cuerpo a través de su coronilla...

3 Una oleada de calor se extiende sobre su cabeza, relajando los músculos de las mandíbulas y el rostro... Esta calidez se extiende bajando por su cuello y penetrando en sus hombros, incitándoles a descansar y liberar cualquier tensión o dureza... El calor baja hasta su pecho y la parte superior de la espalda y se irradia por los brazos, saliendo por las palmas abiertas...

4 Siga su respiración mientras se sume cada vez más en un estado de relajación... Las oleadas de calor siguen bajando por su abdomen, las nalgas y la zona lumbar disolviendo cualquier tensión... Las olas llegan hasta sus piernas y descienden hasta los tobillos y los pies.

5 Sienta la solidez del suelo bajo sus pies... Entregue todo su peso al tirón de la gravedad...

6 Mientras se relaja del todo, sumérjase en el silencio... Trasládese a un lugar de calma reflexión... Cuente de diez hasta uno, dejando que su mente decida hasta qué profundidad quiere llegar... Diez... Nueve... Ocho... Siete... Descienda a una relajación más completa... Seis... Cinco... Cuatro... Tres... Dos... Uno.

7 Empiece a sentir el ritmo tranquilizador de su corazón... Pum-pum... Pum-pum... Pum-pum... Pum-pum... Respire siguiendo el ritmo del latido...

8 Sienta el leve movimiento y el flujo de este ritmo... No se preocupe de nada más que de entregarse a este ritmo... Todo su cuerpo late con este ritmo... Mientras fluye con el ritmo, se siente atraído hacia un estado de relajación más y más profundo...

9 Descanse ahí, en el latido del corazón, todo el tiempo que desee... Cuando esté listo para recuperar la consciencia de vigilia, cuente de uno a diez... Uno... Dos... Tres... Cuatro... Siéntase renovado y rejuvenecido... Cinco... Seis... Siete... Siéntase pletórico de energías... Ocho... Nueve... Diez... Concédase un momento para reajustarse a su entorno...

Las enfermedades inflamatorias

Las siguientes meditaciones son eficaces para reducir el dolor y la tirantez en las articulaciones:

a) Apagar el fuego   b) La bola de chi

Apagar el fuego

Origen: Occidental; imaginería guiada destinada a fomentar la movilidad articulatoria.

Objetivo: Aliviar los dolores y la tirantez articulatoria

Frecuencia de uso: Úselo cuando lo necesite

Duración: 5-10 minutos

Referencia cruzada: Use «Observe su respiración» (pág. 28)

Grado de dificultad 1: Requiere la capacidad básica de mantenerse centrado

Tratamiento complementario: «La liberación del color» (pág. 58)

Dependiendo de sus necesidades, puede alterar este ejercicio para reducir el agarrotamiento de las articulaciones. Lo único que debe hacer es sustituir la bola energética de hielo por otra cálida y roja y seguir los mismos pasos.

1 Elija su postura de meditación favorita, sentada o de pie. Cierre los ojos… Sitúe la lengua sobre el paladar… Empiece a seguir la respiración con la mente. Perciba el ritmo natural de la inspiración y la espiración.

2 Cree una bola de energía de hielo, azulada, a unos 25-30 cm sobre su cabeza… Esta bola contiene el chi sanador… A medida que se concentra en ella sus propiedades curativas aumentan…

3 En su siguiente inspiración, haga penetrar esa energía azul por su coronilla, como si estuviera sorbiéndola con una pajita… La energía azul entra en su cuerpo y fluye como un agua fresca que le proporciona alivio…

4 Concéntrese en una articulación de su cuerpo… Con la respiración, dirija la energía sanadora azul hacia esa articulación… Respire varias veces dirigiendo el aire a esa zona… El frescor azul empieza a enfriar las llamas dolorosas de la inflamación.

5 Produzca espacio en la articulación por medio de su respiración… El dolor empieza a remitir.

6 Repita los mismos pasos con todas las articulaciones doloridas. Siga haciéndolo hasta que haya aliviado todas las articulaciones doloridas. Cuando esté listo, libere la imagen de energía azul… Vuelva a concentrarse en todo su cuerpo y en la simple inspiración y espiración de su respiración… Abra los ojos y tómese un momento para reajustarse al entorno.

La bola de chi

Origen: Es una variación del Qi (Chi) Gong, una forma de ejercicio meditativo procedente de China. Enseña al practicante a reunir, dirigir y desplazar el chi (la fuerza vital universal) con objeto de aliviar la inflamación artrítica y el dolor.

Objetivo: Aliviar el dolor artrítico y aumentar la movilidad articular

Frecuencia de uso: Siempre que sea necesario

Duración: 7-10 minutos

Referencia cruzada: Use «La respiración abdominal» (pág. 29) y «Los pies bien asentados» (pág. 30)

Grado de dificultad 1: Es una técnica de fácil ejecución

Complemento: «La liberación del dolor» (pág. 59)

Remedio rápido

1 Póngase en pie o siéntese con los pies separados en la vertical de los hombros. Sus pies se conectan con el yin o la energía de la tierra. Mientras va trabajando con sus manos, reunirá yang o energía celeste.

2 Suba las manos a la altura del pecho, con las palmas mirándose. Junte las manos lentamente y vuelva a separarlas... Quizá sienta una sensación de cosquilleo a medida que las palmas se aproximan. Es posible que sienta la energía como si fueran plumas, o quizá no sienta nada. Si no siente nada, simplemente imagínelo. Lo importante es que su atención desplace y dirija esa energía sutil.

3 Ahora alce los brazos, como queriendo abrazar el cielo. Reúna el chi celestial en sus manos y brazos... Atráigalos hacia el pecho, delante de su corazón... Con esta energía celestial forme una bola de luz cálida. Vuelva a levantar los brazos y recoja más chi. Hágalo varias veces, para fortalecer y concentrar esa energía.

4 Concentre su respiración en esta bola luminosa... Mientras inspira y espira, imagine que intensifica la energía yang... Ahora desplace la bola, con las manos, hacia una articulación artrítica (si se trata de la falange de un dedo, use sólo una mano para dirigir la bola energética).

5 Sostenga la bola de energía sobre la articulación y concéntrese en su respiración. Con cada inspiración y espiración, imagine que la energía late desde sus manos hasta la articulación mientras la energía sanadora se transfiere desde las palmas para inundar la articulación. Siga manteniendo las manos sobre ese punto mientras se concentra en su respiración durante uno o dos minutos.

6 Dirija esa bola de chi hacia otros puntos que necesiten ayuda. Repita los mismos pasos.

7 Cuando haya concluido el ejercicio, sacuda las manos para liberar el chi celestial y cualquier residuo energético que pueda haber recogido en las articulaciones.

Los problemas digestivos

Las siguientes técnicas fomentan la digestión saludable:

a) Torsiones de columna   b) El sol estomacal

Torsiones de columna

Origen: Son posturas de yoga muy usadas, que activan el chakra del plexo solar, que se cree que controla la digestión.

🏃 **Objetivo: Contribuir a una digestión saludable**

🕐 **Frecuencia de uso: Úselas siempre que sea necesario**

🕐 **Duración: Mantenga cada postura 2-3 minutos, repitiendo el proceso las veces necesarias**

↔ **Referencia cruzada: Use «Observe su respiración» (pág. 28)**

① **Grado de dificultad 1: Es fácil de administrar y requiere una flexibilidad mínima**

🌿 **Tratamiento complementario: «El entrenamiento autógeno» (pág. 54)**

➕ **Remedio rápido**

La torsión de columna sentados

1 Empiece en una posición sentada cómoda o bien sentado sobre una alfombrilla en el suelo. Extienda ambas piernas delante de usted, manteniendo la espalda recta (si es necesario, puede flexionar las rodillas).

2 Aferre la parte posterior de su rodilla con las manos. Doble la rodilla y atráigala hacia su cuerpo, llevando el talón del pie hacia sus nalgas... Respire hondo varias veces.

3 Coloque las manos rodeando la parte frontal de su rodilla derecha. Pase el brazo izquierdo en torno a la rodilla, de modo que la cara interna del codo la rodee. Con su mano derecha agarre la muñeca izquierda...

4 Inspire y levante el pecho... Suavemente, empiece a rotar hacia la derecha su pecho y hombros. Deje de girar cuando empiece a molestarle... Mantenga la posición y respire durante 15-30 segundos... Suelte las manos y permita que su cuerpo vaya recuperando suavemente la posición inicial.

5 Repita los mismos pasos para el lado izquierdo, manteniendo una vez más la postura durante 15-30 segundos. Repita el proceso tres veces, alternando la rotación hacia la izquierda y hacia la derecha.

La torsión de columna tumbados

Puede realizar este ejercicio tumbado en el suelo, sobre una alfombrilla o toalla, o bien en la cama.

1 Túmbese de espaldas en el suelo o en la cama. Estire las piernas delante de usted... Los brazos deben estar relajados a ambos lados.

2 Doble la pierna trayendo hacia sí el pie derecho y situándolo junto a su rodilla izquierda, que debe permanecer plana sobre la superficie. Extienda los brazos a la altura del hombro para formar una T. Levante los glúteos, desplace las caderas unos centímetros a la derecha y vuelva a descansar sobre el suelo... Sitúe la rodilla derecha sobre la pierna izquierda.

3 Respire hondo varias veces, para limpiar su organismo... Intente mantener los hombros planos o caídos hacia el suelo... Si se siente cómodo, permita que la cabeza se incline hacia la derecha. Concéntrese en la respiración abdominal e inspire lentamente, limpiando así su cuerpo. Mantenga la torsión unos 30-60 segundos. Mientras la mantiene, sus órganos internos reciben un masaje que tonifica las energías digestivas.

4 Recupere la posición original poniendo la cabeza recta y levantando la pierna derecha, que deberá volver a reposar en la superficie. Sitúe bien sus caderas levantando los glúteos y desplazándose unos centímetros a la izquierda. Sitúe la pierna derecha recta, estirada junto a la izquierda. Repítalo con la pierna izquierda.

5 Recupere la posición original poniendo la cabeza recta y levantando la pierna izquierda, que debe descansar de nuevo sobre la superficie. Sitúe bien las caderas desplazando las nalgas hacia la derecha.

6 Ruede dejándose caer sobre el costado derecho. Vaya levantándose con ayuda de ambas manos.

El sol estomacal

Origen: Las prácticas hindúes de los chakras. Se usa para activar el tercer chakra y facilitar así la digestión.

Objetivo: Contribuir a la digestión

Frecuencia de uso: Úselo las veces que lo necesite

Duración: 5-10 minutos

Referencia cruzada: Use «La respiración abdominal» (pág. 29)

Grado de dificultad 1: Requiere la habilidad básica de mantener la concentración

Tratamiento complementario: «La limpieza y el equilibrado de los chakras» (pág. 34)

Remedio rápido

1 El tercer chakra, situado en el plexo solar, se conoce también como «el sol estomacal». Este centro es el que gobierna la digestión. Normalmente, el bienestar de esta zona se asocia al color amarillo.

2 Elija su posición sentada preferida. Cierre los ojos y sitúe la lengua sobre el paladar. Conecte su mente con su respiración.

3 Empiece a atraer la energía telúrica hacia arriba. Esta energía yin fluye hasta la planta de sus pies y asciende por sus piernas. Sienta cómo la energía fluye sin cesar a medida que avanza por su entrepierna y la parte inferior del vientre.

4 El chi telúrico asciende para descansar en el tercer chakra, situado en el plexo solar... La energía de la tierra se remansa y llena este compartimento.

5 Centre ahora su atención en su coronilla... Visualice un brillante sol dorado. La respiración reúne el chi celestial... Lo hace penetrar en su cuerpo y lo lleva hasta el plexo solar... Aquí, en el plexo, el yin y el yang, la tierra y el cielo, se mezclan y alcanzan un equilibrio complementario... Concéntrese en un color amarillo intenso...

6 Respire dirigiendo el aire hacia ese color, intensificando su saturación... Haga que ese brillante color se extienda por toda la zona estomacal... La calidez se desplaza hacia el exterior para cubrir con una capa aliviadora el interior del estómago, liberando cualquier tensión que exista en ese centro.

7 Concéntrese en el color amarillo intenso hasta 10 minutos... Cuando esté listo, libere el color y abra los ojos.

Técnicas de mejora

3

El control de la ira

Las siguientes meditaciones ofrecen diversas maneras para gestionar la ira:

a) Difundir y descargar   b) Alterar los puntos de vista   c) La expresión correcta de la ira

Difundir y descargar

Origen: Los principios orientales del Ayurveda y el Chi Gong. Libera el exceso de energía acumulado en el cuerpo.

🚶 **Objetivo: Descargar la ira**

🕐 **Frecuencia de uso: Úsese siempre que sea necesario**

🕑 **Duración: Prolongue el ejercicio 3-5 minutos**

↔ **Referencia cruzada: Use «La respiración abdominal» (pág. 29)**

① **Grado de dificultad 1: Es una técnica de fácil ejecución**

🌿 **Tratamiento complementario: «El entrenamiento autógeno» (pág. 54)**

➕ **Remedio rápido**

Si después de recurrir a esta meditación sigue sintiéndose bastante airado, siempre puede probar un ejercicio más exigente a nivel físico, como caminar a buen paso o pasear en bicicleta. Como alternativa, pruebe una de las técnicas para controlar la ira que siguen a este ejercicio.

1 Siéntese en el suelo adoptando una posición cómoda, con las piernas cruzadas.

2 Fíjese en su respiración. ¿Es más rápida de lo normal?... Fíjese en la ira y en los puntos de su cuerpo en que la siente... Respire proyectando el aire a la ira...

3 Si su ira tuviera color, ¿cuál sería?... El hecho de dar un color a la ira la convierte en una forma de energía... Perciba ese color retenido en su cuerpo... Respire enviando el aire a ese color...

4 Coloque las palmas de las manos apoyadas en el suelo, a los lados del cuerpo o delante... Respire hondo... Mientras espire, envíe ese color hacia la tierra, descargándose y liberándolo...

5 Apriete con fuerza las palmas contra el suelo. Esto le proporciona una expresión física de la ira... Dirija la ira hacia la tierra... La tierra la absorbe reciclándola en energía neutra... Siga respirando y descargue su ira, dejando que mane de su cuerpo como el agua se escapa por un sumidero...

6 Cuando sienta que está listo, despegue las manos del suelo... Siéntese erguido... Empiece a centrarse en la sencilla inspiración y espiración de su respiración...

7 Cuando esté listo, póngase en pie y concédase unos momentos para reajustarse a su entorno.

Alterar los puntos de vista

Origen: Imaginería guiada basada en la psicología occidental.

(🚶) **Objetivo: Tratar la ira excesiva o crónica.**

(🔄) **Frecuencia de uso: Puede usarse todos los días**

(🕐) **Duración: Practique el ejercicio al menos 20 minutos**

(↔) **Referencia cruzada: Use «Manos abiertas» (pág. 24) y «Cuente su respiración» (pág. 27)**

(1) **Grado de dificultad 1: Técnica de fácil ejecución**

(🌿) **Tratamiento complementario: «La relajación muscular progresiva» (pág. 46)**

(+) **Remedio rápido**

La técnica consistente en envolverse con una burbuja energética ayuda a crear un contenedor seguro donde experimentar los sentimientos y es también un buen instrumento para crear las fronteras cotidianas.

1 Elija su postura meditativa favorita. Cierre los ojos y practique «Observe su respiración».

2 Piense en una situación que le provoca ira... Puede tratarse de algo pasado o presente.

3 Céntrese en las circunstancias que condujeron a la ira... Si son del pasado, recree la escena en su mente... ¿Qué fue lo que disparó su ira?... ¿Cuándo la percibió por primera vez?... ¿Fue acumulándose con el paso del tiempo o explotó en cuestión de momentos?

4 Empiece a ser consciente de esa conversación consigo mismo y de las opiniones que tiene en relación con esa ira... Intente identificar las distorsiones presentes en ese pensamiento concreto... ¿Qué podría ganar si siguiera aferrándose a esa forma de pensar?... ¿Hay alguna otra forma de ver las cosas?... ¿Puede ampliar su punto de vista?

5 Cree una burbuja de luz en torno a su cuerpo... Véase descansando en esta burbuja ovalada... La luz se expande por un igual por encima de su cabeza, por debajo de sus pies, por delante y por detrás de usted.

6 Esta burbuja es un entorno seguro donde puede experimentar sus sentimientos. Empiece a centrarse en sus sentimientos de ira, no en sus pensamientos. Perciba en qué lugares de su cuerpo anida la ira. Respire proyectando el aire a esas zonas... Concédase permiso para experimentar la ira, sin obstaculizar el sentimiento con pensamientos racionales. Admita esa sensación de ira presente en su cuerpo, en lugar de proyectarla sobre otra persona. Limítese a sentir la ira mientras respira oxigenándola.

7 Si la ira fuera un color, ¿cuál sería? Envíe el aire a ese color, permitiendo que diluya la ira... El color de la ira sale de la burbuja... El color se evapora formando un humo que llena la burbuja.

8 Céntrese en su cuerda de anclaje, extendiéndola para que abarque todo el radio de la burbuja... Comience a dirigir y expulsar el humo, haciéndolo bajar hasta la tierra por medio de la cuerda de anclaje...

9 Siga concentrándose en su respiración y libere su ira en la tierra. Cuando esté listo, vuelva a concentrar la atención en la simple inspiración y espiración del aire... Si lo desea, puede mantener la burbuja a su alrededor o bien disolverla... Abra los ojos y concédase unos instantes para reajustarse.

La expresión correcta de la ira

Origen: La psicología y la imaginería guiada usadas para fomentar la expresión saludable de las emociones.

🧍 **Objetivo: La manifestación saludable de la ira**

🕐 **Frecuencia de uso: Úselo siempre que lo necesite**

🕑 **Duración: 10-15 minutos, las veces necesarias**

↔ **Referencia cruzada: Use «La respiración abdominal» (pág. 29)**

① **Dificultad 2: Hay que mantenerse centrado**

🍃 **Tratamiento complementario: «Alterar los puntos de vista» (pág. 95)**

Esta meditación conlleva realizar un ensayo mental. Necesitará tener a mano una hoja de papel y un lápiz o un bolígrafo.

1 Elija su postura sentada favorita. Cierre los ojos... Sitúe la lengua sobre el paladar... Inspire por la nariz y céntrese en «La respiración abdominal».

2 Cuando se sienta lo bastante centrado y relajado, elija un entorno en el que le gustaría expresar su ira a alguien. Puede tratarse de una escena del pasado o del presente. ¿Cree que en cierto sentido se ha distanciado de esa ira o sigue siendo muy fuerte?

3 Tómese un momento para definir los factores que contribuyeron a su ira... ¿Hirieron sus sentimientos?... ¿Se sintió menospreciado o ignorado?... ¿Se pasaron de la raya o insultaron un valor personal?... Intente ser lo más específico posible al expresar sus sentimientos. Escríbalos.

4 ¿Cuáles fueron los actos, palabras o conductas que le irritaron? Escríbalos.

5 ¿Qué necesita que esa persona rectifique de su conducta actual o futura?... No se preocupe de si será capaz o no de cumplir sus expectativas... Simplemente, anótelas.

6 Cierre los ojos... Imagine que tiene a esa persona sentada delante... Está dispuesta a escuchar todo lo que tenga que decirle... Usted es totalmente libre para expresar sus sentimientos...

7 Cuando hable, emplee el pronombre «yo». Esto le permite aceptar la responsabilidad de sus sentimientos, en lugar de culpar a su interlocutor. Empiece diciendo al ofensor u ofensora cuál fue la conducta concreta que le molestó. Por ejemplo: «Me ha molestado que llegaras una hora tarde a nuestra cita»..., «Cuando hiciste... me sentí herido y furioso»..., o bien: «Cuando me hablas en ese tono me siento despreciado». Que su forma de expresión sea sencilla y concreta. Vea cómo la persona le presta atención y escucha sus palabras... Mientras habla, analice cómo se siente y cualquier sensación que nazca de su interior.

8 Pídale a esa persona que satisfaga una necesidad concreta, como por ejemplo: «Me gustaría que pidieras mi ayuda en vez de darme una orden». Entonces pregunte a la persona si se ve capaz de hacer eso. Si no se ve capaz, quizá pueda llegar a un pacto con ella.

9 Vuelva a concentrar la atención en usted, permitiendo que esa persona desaparezca. Céntrese en su respiración y perciba cualquier sensación que se haya modificado durante este ejercicio mental. Cuando esté listo, abra los ojos... Respire hondo varias veces, oxigenando su cuerpo, y dese un tiempo para reajustarse.

La depresión

La depresión parece ser la manera que tiene la naturaleza de llevarnos hacia un espacio de reflexión e introspección. Si bien de vez en cuando todos experimentamos tristeza, la depresión es un estado de abatimiento constante, que a menudo se activa debido a un acontecimiento crucial, como un cambio, una pérdida o la muerte de un ser querido. La depresión también puede estar relacionada con conflictos emocionales irresueltos o ser el resultado de innumerables pérdidas pequeñas y desengaños acumulados a lo largo de toda una vida. Frecuentemente nos deprimimos cuando sentimos que no somos capaces de seguir adelante o cuando carecemos de opciones viables para el futuro inmediato o a largo plazo.

Sin embargo, la depresión clínica es una enfermedad grave. Si usted presenta cinco o más de los síntomas siguientes durante dos semanas o más, consulte con un médico:

- Un estado de ánimo abatido, la sensación de estar triste o vacío toda la jornada y prácticamente todos los días.
- Un interés o un placer notablemente menor por todas o casi todas las actividades cotidianas.
- Una pérdida de peso importante sin estar a dieta o bien un aumento considerable de peso.
- Insomnio o la necesidad excesiva de dormir cada día.
- Sensación de inquietud o de aprisionamiento.
- Fatiga o astenia casi cada día.
- Sentimientos de indignidad o culpabilidad inadecuada casi cada día.
- Dificultad de concentración o indecisión, casi cada día.
- Pensamientos recurrentes de la muerte o el suicidio, intentos de suicidio o planes concretos para cometerlo.

Si padece usted una depresión clínica, los tratamientos que exponemos a continuación deberá realizarlos sólo con el consentimiento de un médico.

La depresión circunstancial

Las siguientes meditaciones son excelentes para tratar la depresión:

a) Abrir el corazón   b) Lamentar una muerte   c) Abrir el pecho

Abrir el corazón

Origen: Se trata de una combinación de prácticas místicas orientales y occidentales destinadas a abrir energéticamente el corazón y aliviar los síntomas depresivos.

Objetivo: Mejorar la depresión circunstancial

Frecuencia de uso: Para producir cambios, se recomienda su uso en días alternos

Duración: 10-15 minutos o todo el rato que se sienta a gusto

Referencia cruzada: Use «Manos abiertas» (pág. 24) y «Observe su respiración» (pág. 28)

Grado de dificultad 1: Esta técnica requiere la disposición de analizar las emociones

Tratamiento complementario: «El corazón compasivo» (pág. 113)

1 Empiece la meditación en su postura favorita, sentado o reclinado. Cierre los ojos... Practique «Observe su respiración».

2 Proyecte en su mente la imagen de una persona a la que quiera, alguien que le conceda un cariño positivo, incondicional. Invoque la agradable presencia de esa persona... Dele la mano... ¿Qué sentimientos o sensaciones le produce pensar en ese ser querido? Perciba cómo éste, de forma natural, desea acercarse a usted para consolarle.

3 Coloque las manos con las palmas hacia abajo sobre el centro del corazón, situado en el esternón... Respire con naturalidad, permitiendo que la respiración vaya inundando el corazón... Sienta con sus manos el latido de su corazón... Reflexione si recientemente su corazón ha estado cerrado a cal y canto...

4 Aprecie la importancia de su corazón, tanto física como emocional... ¿Hay algunas áreas en su corazón o en su vida a las que ha delimitado emocionalmente o que se han endurecido?... Explore con calma esos lugares...

5 Guíe su respiración para que penetre en esas zonas... Proyecte hacia ellas un cariño cálido que suaviza las durezas... La respiración abre una hermosa flor en el corazón, un pétalo tras otro... Ábrase a los sentimientos que van apareciendo, abandonando toda necesidad de protegerse... Aquí, en la presencia del ser querido, puede sentir con libertad... Su amor le da el valor de aceptar ese flujo de energía emocional...

6 También puede haber lugares dentro de su corazón que desbordan tristeza y dolor. Esto puede parecerle agobiante, como si fuera un río poderoso que amenaza con ahogarle... Déjese llevar por esa corriente... La intensidad de la tristeza, como el ritmo pausado del río, no será siempre la misma... Con el tiempo y la aceptación, seguirá su curso... Cuanto antes permita que fluyan sus emociones, antes se sanará su corazón.

7 Cuando esté listo, dé gracias a su ser querido por su presencia... Aparte la atención de su corazón, alejando las manos y dejándolas reposar en su regazo... Concéntrese en su respiración... Lentamente, abra los ojos... Tómese algo de tiempo para reajustarse... Es posible que necesite un tiempo de descanso...

Lamentar una muerte

Origen: Imaginería guiada basada en la psicología occidental para fomentar la curación de problemas derivados de la pena.

Objetivo: Aliviar la depresión debida al duelo

Frecuencia de uso: Puede usarse periódicamente

Duración: Practique el ejercicio 10-15 minutos

Referencia cruzada: Use «Manos abiertas» (pág. 24) y «La respiración abdominal» (pág. 29)

Grado de dificultad 1: Esta técnica requiere la voluntad de analizar las emociones

Tratamiento complementario: «El corazón compasivo» (pág. 113)

1 Elija la posición sentada o reclinada que más le guste. Cierre los ojos... Practique «La respiración abdominal».

2 Empiece a seguir el ritmo natural del corazón... Dentro, fuera... La respiración va y viene como las olas que acarician la playa... Muévase con ese ritmo, como si usted mismo fuera esas olas que se acercan y se alejan de la arena... Dentro y fuera... Fluyendo, acariciando... El ritmo le transporta a un lugar donde no existen el tiempo ni el espacio, sólo el movimiento de la respiración.

3 La respiración se convierte en una brisa suave que le eleva y le hace cruzar una puerta oculta en su corazón... La brisa le deposita sobre un prado de hermoso césped... Vea los árboles que forman las lindes de un precioso bosque, y camine hacia él.

4 Cuando llegue hasta allí, intérnese bajo el dosel de los árboles... Son árboles muy viejos... Llevan viviendo cientos de años y han sido testigos de muchas cosas... Mientras avanza por el bosque, sus sentidos se agudizan... Capte todas las vistas maravillosas que le

rodean... El bosque hierve de hermosos sonidos... Sienta las agujas de pino que, como una manta suave, ceden bajo sus pies mientras va paseando...

5 Al cabo de un rato, llega ante el árbol más antiguo y hermoso que haya visto jamás... Extiende la mano para acariciar la corteza y siente que desde el centro del tronco parte un flujo de amor... Abrace el árbol, abarcando el tronco con los brazos hasta donde pueda...

6 Respire y sienta la plenitud de su tristeza... Mientras espira, libere la profundidad de su dolor para que el árbol lo absorba... Mientras se apoya en el árbol, parece que entre en su interior y se convierta en parte de su madera...

7 El centro del árbol está lleno de una luz que le hace ascender hasta las ramas... Aquí, por pura magia, entra en un pájaro maravilloso... El ave levanta el vuelo, planeando muy por encima del bosque...

8 A través de los ojos del ave, distingue una vasta extensión de árboles... El pájaro desciende y se posa sobre una peña en un lugar distinto del bosque...

continúa →

9   Inspire la belleza de este lugar... Sienta la presencia de otro ser vivo que se acerca desde lejos... Hay una persona que camina hacia usted... Es su ser querido... Al principio apenas da crédito a sus ojos... Entonces extiende los brazos y lo toca, gozoso por poder reunirse con él o ella... Cogidos de las manos, siéntense juntos un rato... Usted tiene muchas preguntas... Tómese su tiempo para comunicarse con esa persona... Dígale todo lo que está en su corazón...

10   Cuando sienta que es el momento de partir, despídase, sabiendo con total confianza que volverán a verse...

11   Vea otro sendero que le conduce a la hermosa pradera verde... Aquí, una brisa suave y cálida le eleva y le hace atravesar la puerta de su corazón.

12   Sea consciente, una vez más, del sonido de las olas del mar... Sienta la inspiración y espiración de su respiración... Lentamente, contando hacia atrás desde diez, vuelva a la consciencia despierto... Diez... Nueve... Ocho...

Abrir el pecho

Origen: Prácticas del yoga Iyengar, que activan y abren el centro del corazón, aliviando los síntomas depresivos.

Objetivo: **Contribuir a la mejora de la depresión crónica**

Frecuencia de uso: **Puede usarse diariamente**

Duración: **Practique el ejercicio 1-5 minutos o más**

Referencia cruzada: **Use «La respiración abdominal» (pág. 29)**

Grado de dificultad 1: **Es una técnica sencilla que a base de práctica resulta muy eficaz**

Tratamiento complementario: **«Abrir el corazón» (pág. 98)**

Remedio rápido

Necesitará dos o tres mantas. Dóblelas por la mitad y luego enróllelas en forma cilíndrica. Colóquelas una sobre otra, en el suelo (o, si le resulta incómodo, en una cama). Cuando se tumbe sobre ellas debería sentirse a gusto, sin sentir presiones ni tensiones en su espalda ni cuello. Ajuste lo necesario la altura de las mantas.

1 Siéntese en el suelo delante del cabezal que ha formado con las mantas. Extienda los brazos situando las manos a ambos lados de ellas… Comience a flexionar los codos para ir bajando lentamente la espalda y reclinarse sobre las mantas. Éstas deben tocarse entre sí en el punto intermedio entre sus omoplatos.

2 Deje que su cuello y sus hombros descansen cómodamente sobre el suelo… Si esto los somete a tensión, colóquese una almohada pequeña tras la nuca.

3 Extienda las piernas delante… Extienda los brazos a los lados y a la altura de los hombros, formando una T.

4 Cierre los ojos… Respire hondo y exhale el aire lentamente… Repítalo… Concéntrese en transmitir el oxígeno a los músculos situados en su pecho y la espalda superior… Admita las sensaciones musculares que tenga insuflándoles aire…

5 Permita que los músculos de cuello y garganta se ablanden y abran suavemente… Concentre la respiración en esa abertura mientras siente cómo, lentamente, la postura le va relajando más y más…

6 Vuelva a concentrarse en la zona del pecho… Las sensaciones derivadas de abrir el pecho pueden resultarle extrañas o desconocidas. Al principio, abrir y exponer el pecho y los músculos abdominales puede hacerle sentir vulnerable… Intente conservar esa apertura…

7 Dirija la atención al centro del corazón, situado en el esternón… Respire en su corazón… Suavice la sensación de tensión o de espacio cerrado… Céntrese en las sencillas inspiraciones y espiraciones del aire, que poco a poco van creando la sensación de un espacio abierto…

8 La respiración transmite al corazón un color verde… Quizá se trate del exuberante verde de una pradera en primavera… La luz verde entra en su corazón, despejando cualquier herida o tristeza de la que esté dispuesto a desprenderse…

9 Quédese ahí todo el tiempo que desee… Luego centre la atención en el flujo de su respiración… Abandone la postura flexionando las rodillas y rodando hacia el costado derecho; entonces, use las dos manos para enderezarse.

La angustia, la asiedad, el miedo

Las siguientes meditaciones abordan la angustia, la ansiedad y el temor:

a) Transformar el miedo   b) Transformar los pensamientos   c) La práctica de enviar y recibir

Transformar el miedo

Origen: Se deriva de las prácticas orientales y cristianas esotéricas. Se usa para liberar el centro del plexo solar del temor, que se transmite al centro del corazón para transformarlo.

🚶 **Objetivo: Transformar el miedo**

⏱ **Frecuencia de uso: Diariamente o cuando se precise**

🕐 **Duración: Mantenga la práctica 10-15 minutos**

↔ **Referencia cruzada: «Manos abiertas» (pág. 24) y «La respiración abdominal» (pág. 29)**

① **Grado de dificultad 1: De fácil aplicación**

🌿 **Tratamiento complementario: «Transformar los pensamientos» (pág. 103)**

➕ **Remedio rápido**

1 Empiece el ejercicio en la posición sentada o reclinada que más le guste. Cierre los ojos... Practique «La respiración abdominal».

2 Piense en algo que le causa temor... Quizá sea un miedo al que se enfrenta ahora mismo o que prevé para el futuro...

3 Concéntrese en los pensamientos y emociones que rodean ese temor... ¿Es consciente de cuál fue el origen de ese miedo?... ¿Llegó de repente o con el paso del tiempo?... ¿Es un temor a algo concreto?... ¿O es una sensación de aprensión más bien difusa?... Céntrese en descubrir los puntos de su cuerpo en que siente ese miedo... Respire en esa zona...

4 Sitúe las manos sobre el plexo solar, justo debajo del esternón... Si el miedo tuviera color, ¿cuál sería? Dirija ese color llevándolo al tercer centro energético, situado en el plexo solar... Este centro actúa como una esponja, absorbiendo el color.

5 Pregúntese: «¿Qué es lo que me da más miedo? ¿Qué es lo peor que podría pasar?»... Escuche con interés su respuesta...

6 Coloque la mano izquierda sobre el centro del corazón mientras mantiene la derecha sobre el plexo solar... Dirija el temor desde el plexo solar hasta el centro del corazón... Vea cómo el temor se levanta en forma de niebla sobre su corazón... Centre en su corazón todas las inquietudes, angustias y temores...

7 Respire dirigiendo el aire al centro del corazón... creando un espacio para aceptar y transformar el miedo... Sienta cómo el corazón admite lo que recibe, absorbiendo el temor en un todo más grande...

8 Imagine una persona o un símbolo que represente para usted el valor, la compasión y la humildad... Invoque esas cualidades... Acepte ese amor en su corazón... Sienta cómo el miedo se transforma... quizá en valor, aceptación o conocimiento.

9 La energía del miedo se convierte, en el corazón, en un nuevo color... Respire insuflando aire en ese color e imagine que se extiende por todo su cuerpo e incluso sale de él y tiñe el espacio que le rodea... Aquí, dentro de esa burbuja, se encuentra reposando en el valor del corazón.

10 Cuando esté listo, abra lentamente los ojos y tómese unos instantes para reajustarse.

Transformar los pensamientos

Origen: Técnica mixta que combina el misticismo y la psicología occidentales para transformar los pensamientos negativos en otros positivos, reduciendo así la angustia.

Objetivo: Ayudar a superar la preocupación y la ansiedad

Frecuencia de uso: Usar cuando sea necesario

Duración: Mantenga la práctica 10-15 minutos

Referencia cruzada: Use «El mudra del conocimiento» (pág. 25) y «La respiración abdominal» (pág. 29)

Grado de dificultad 1: Se requiere un grado mínimo de concentración

Tratamiento complementario: «Transformar el miedo» (pág. 102)

Remedio rápido

1 Elija la postura de meditación que prefiera... Cierre los ojos, sitúe la lengua tras los dientes superiores y practique «La respiración abdominal»...

2 La respiración libera la mente y la lleva a concentrarse en el momento presente... Mantenga la mente centrada... Limítese a observar cómo nacen y se desvanecen las sensaciones... Sienta su vínculo con el cuerpo, sus emociones y su mente...

3 Concéntrese en su mente... Vea una luz blanca brillante que proyecta su mente... Se trata de la luz de la razón clara...

4 Cree una burbuja delante de usted... Elija un pensamiento negativo para analizarlo... Métalo en la burbuja y enfoque la luz en ese pensamiento... Esa luz ilumina las emociones, creencias y significados personales vinculados con ese pensamiento...

5 Piense en cómo influye este pensamiento en sus actos y reacciones... ¿De qué le ha servido ese pensamiento hasta este momento?... ¿Cuál es el precio y los beneficios de seguir pensando eso?

6 Insufle su respiración a ese pensamiento... Pida que éste se bañe en la luz y en una nueva comprensión... Si quiere, usted tiene la capacidad de cambiar ese pensamiento...

7 Libere la burbuja como si fuera un globo de helio... Déjelo sumirse en la consciencia universal...

8 Cree una nueva burbuja... Elija un pensamiento positivo o una idea de superación del miedo que lo sustituya, como: «Esto no es la verdad, sólo es miedo» o «En el futuro podré superar todo lo que se presente». Meta en la burbuja ese nuevo pensamiento...

9 Haga realidad ese nuevo pensamiento... Imagine cómo sería verse libre de él... Imagine cómo se sentiría, física y emocionalmente.

10 Sitúe la burbuja por encima de su cabeza... Haga estallar la burbuja y deje que la energía positiva fluya por su cuerpo:

11 Cuando esté listo, vuelva a concentrar la atención en el sencillo ritmo de la respiración... Abra los ojos y reencuéntrese con su entorno.

La práctica de enviar y recibir

Origen: Esta práctica también se conoce con el nombre de meditación Tonglen, una práctica del budismo tibetano que fomenta la compasión y la ausencia de temor.

🚶 **Objetivo: Cultivar la ausencia de temor**

🕐 **Frecuencia de uso: Puede usarse diariamente**

⏱ **Duración: Practique el ejercicio durante al menos 10-15 minutos**

↔ **Referencia cruzada: «Dhyana mudra» (pág. 25)**

① **Grado de dificultad 2: Esta técnica requiere la capacidad de mantener la concentración**

🌿 **Tratamiento complementario: «Transformar el miedo» (pág. 102)**

La práctica de enviar y recibir exige una cierta habilidad y apertura emocional. Con el tiempo, irá ampliando su capacidad de aceptar plenamente el temor, o cualquier otro tipo de dolor, y liberar compasión.

1 Comience en la postura meditativa que prefiera. Cierre los ojos... Sitúe la lengua en el paladar... Respire hondo y espire lentamente. Repita el proceso varias veces, liberando cualquier tensión que sienta en su cuerpo... Siga el ritmo de su respiración y el subir y bajar apacible de su abdomen...

2 Observe su respiración... Observe cómo el aire entra y sale, siempre fresco y distinto... Perciba las sensaciones que vienen y van... Sea consciente de la transitoriedad de la respiración... Llega y se va fugazmente... Pero vuelve de nuevo, en un ciclo constante...

3 Visualice la vasta expansión de un cielo azul sin nubes... Toque ese azul un instante y luego déjelo... La vastedad del cielo nos dice que también la mente tiene la capacidad de expandirse, abriéndose... Usted no es sus pensamientos...

4 Piense en un temor... Dele un color, quizá un negro profundo y nebuloso... Sienta la pesadez de esa negrura y el agobio que produce... Respire enviando el aire al miedo... Respire por todos los poros de su cuerpo...

5 Espire las cualidades de la espaciosidad... El desahogo, la libertad, la luz, quizá el color blanco plateado de la luna... Espire el valor para verse libre del miedo...

6 Inspire el dolor del temor... Espire el placer del amor y la compasión... Haga que la inspiración y la espiración duren lo mismo... Prosiga con la sincronización de la respiración...

7 Cuando esté listo, borre las imágenes con las que ha estado trabajando... Vuelva a centrar la atención en las simples inspiración y espiración del aliento... Abra los ojos y tómese unos momentos para conectar con su entorno.

La autoconfianza y la autoestima

Las siguientes meditaciones ayudan a construir la confianza en uno mismo y la autoestima:

a) La aceptación de uno mismo: olvidarse del perfeccionismo   b) Reclamar el niño interior

c) La postura Virasana modificada

La aceptación de uno mismo: olvidarse del perfeccionismo

Origen: Psicología occidental. Fomenta la aceptación de uno mismo y forja la autoconfianza y la autoestima.

Objetivo: Construir la confianza en uno mismo por medio de la aceptación

Frecuencia de uso: Úselo regularmente cuando se sienta acosado por el perfeccionismo

Duración: Prolongue el ejercicio durante al menos 7-10 minutos

Referencia cruzada: Use «Manos abiertas» (pág. 24) y «La respiración abdominal» (pág. 29)

Grado de dificultad 2: Requiere la capacidad de mantener la concentración

Tratamiento complementario: «Desafiar al crítico interior» (pág. 112)

1 Elija su postura favorita de meditación. Cierre los ojos... Sitúe la lengua en el paladar... Siga el ritmo natural de la respiración mientras practica «La respiración abdominal».

2 Reconozca el papel que juega su corazón como símbolo de amor y libertad... Admita el papel de su mente como símbolo de precisión y de sus posibilidades... Reflexione por un instante sobre a qué parte de su ser suele acudir en busca de guía y cuando tiene que tomar decisiones... ¿Qué aspecto es más dominante?

3 Imagine una línea de energía que conecta su corazón con su mente... Respire insuflando aire a la línea, ampliándola para convertirla en un hermoso puente que una el corazón y la mente...

4 Imagine que la mente y el corazón trabajan juntos... El corazón templa la mente con compasión... La mente equilibra el corazón con la razón...

5 Medite sobre un ideal personal o profesional que le resulte muy atractivo... Considere que el corazón y la mente juegan un papel igual de importante para alcanzar esta meta... Respete la precisión y dirección de la mente... Alabe la compasión del corazón... El corazón abarca su humanidad y sus limitaciones... El corazón respalda su búsqueda de la excelencia, pero le recuerda que debe tener presentes sus necesidades y límites.

6 Imagine que, trabajando al unísono, el corazón y la mente le incitan a superar sus límites... Este equilibrio le permite superar lo que hubiera conseguido bajo la dirección única del corazón o de la mente.

7 Véase sentado en ese puente... Sienta las energías del corazón y la mente que le prestan un apoyo firme... Respire hondo, llenando su alma del aliento de vida... Aquí, en este instante, acéptese tal como es... Acepte todo su ser, intensamente... Acepte sus puntos fuertes y sus debilidades... Acéptelos con humildad antes que con orgullo... La humildad consiste en un conocimiento y una aceptación realistas de usted mismo tal y como es ahora... La humildad es una forma de fuerza.

8 Sienta la energía del corazón y la mente, que le rodean de amor y calidez... Acepte esta sensación y hágala llegar a todos los rincones de su ser...

9 Afirmando su verdadero yo, concluya su meditación canturreando en voz baja «Om... Om... Om»... Vuelva a la consciencia normal y concédase unos instantes para readaptarse a su entorno.

Reclamar el niño interior

Origen: Se trata de un punto de vista psicológico occidental, basado en el trabajo del consejero y teólogo John Bradshaw.

Objetivo: Crear confianza en uno mismo

Frecuencia de uso: Úselo periódicamente para conectar con su yo emocional más joven

Duración: Mantenga la práctica 15-20 minutos

Referencia cruzada: Use «Manos abiertas» (pág. 24) y «Los pies bien asentados» (pág. 30)

Grado de dificultad 2: Requiere la capacidad de mantener la concentración

Tratamiento complementario: «El corazón compasivo» (pág. 113)

1 Elija su postura de meditación favorita. Cierre los ojos; sitúe la lengua sobre el paladar. Respire hondo varias veces, oxigenando su organismo y liberando cualquier tensión de su cuerpo. Proyecte unas raíces desde las plantas de los pies que le conecten firmemente con la tierra.

2 Sienta cómo, con cada respiración, las raíces se van hundiendo cada vez más en la tierra. Sienta la pesadez de su cuerpo, que paulatinamente va cediendo a la fuerza de la gravedad. Cuente lentamente hasta diez… «Mil… Dos mil…» No existe nada aparte del ritmo de su respiración…

3 Una suave brisa le eleva y le hace retroceder en el tiempo… Vea cómo las hojas del calendario se vuelven hacia atrás… Se encuentra delante de una casa vieja…

4 Camine hacia la puerta delantera… Está abierta… Atraviese el umbral y vea que al final de un pasillo hay otra puerta… Camine por el pasillo acercándose a ella… La puerta está cerrada… Recuerde que dentro del bolsillo lleva una llave… Ésta encaja perfectamente en la cerradura… Entre por la puerta y deténgase en el interior del cuarto…

5 En la habitación hay un niño… Éste todavía no es consciente de su presencia… Mientras le observa, se da cuenta de que en realidad ese niño es usted de pequeño… Fíjese en el niño…, en sus ropas…, en la actividad que está desempeñando… Fíjese en su estado de ánimo y su temperamento…

6 Medite si ha habido algo que ha impedido que ese niño se sienta totalmente amado, comprendido, seguro y feliz en esa edad concreta… Observe en silencio, con la esperanza de comprender…

7 El niño se percata de su presencia… Se siente feliz, quizá aliviado al verle, aunque un poco tímido o desconfiado… Preséntese y dígale a ese yo infantil que ha venido para llevarle de vuelta a su vida adulta… Pregunte al niño si puede acercarse y sentarse a su lado…

8 Comuníquele que ha venido lo más pronto que le ha sido posible y que siente que haya tenido que esperar durante mucho tiempo preguntándose qué iba a pasar… Transmita al niño su deseo de que sean amigos…

9 Dese cuenta de que el niño empieza a confiar en usted… Abra los brazos y, gentilmente, pida al niño que se acerque más… Abrace al niño, haciéndole sentirse a salvo, moviéndose adelante y atrás, manifestándole lo mucho que le importa… Escuche todo lo que quiera decirle… Pregúntele si hay algo, cualquier cosa, que el niño quiera de usted o necesite… Escúchele y prométale dárselo lo antes posible…

10 Pasa algún tiempo… Tome al niño de la mano y dígale que le gustaría que fuese a vivir con usted… Eche un último vistazo a la habitación, cierre la puerta y avance por el pasillo hacia la puerta de la entrada.

11 Salga de la casa y vea cómo la brisa
les eleva a usted y a su niño,
devolviéndoles a su cuerpo...

12 Céntrese en la entrada y salida
de su respiración... Sienta cercana
la presencia de su niño... Ahora puede incluirlo
en su vida para satisfacer las necesidades
que tuvo y que quedaron sin resolver.

13 Vuelva a la consciencia de vigilia
contando lentamente de diez
a uno... Abra los ojos y tómese unos
minutos para reajustarse a su entorno.

La postura Virasana modificada

Origen: La Virasana es una postura de yoga que significa «héroe». Es la postura del valor y la confianza en uno mismo, que abre suavemente la energía del corazón para expresarse.

⚐ **Objetivo: Cultivar la confianza y la autoestima**

⟳ **Frecuencia de uso: Usar cada día o cuando sea necesario**

⌚ **Duración: Mantenga la práctica 1-5 minutos**

↔ **Referencia cruzada: Use «La respiración abdominal» (pág. 29)**

① **Grado de dificultad 1: Es una técnica de fácil ejecución**

🍃 **Tratamiento complementario: «Cambiar el punto de vista» (pág. 110)**

⊕ **Remedio rápido**

Virasana significa «héroe». Es la postura del yoga del valor y la confianza en uno mismo. La falta de confianza y de autoestima suele asociarse con una energía cardíaca cerrada. La postura Virasana permite que la energía del corazón encuentre una vía de expresión.

Para realizar este ejercicio necesitará una o dos mantas dobladas.

1 Siéntese en las mantas con las piernas cruzadas, cómodamente... Cierre los ojos... Sitúe la lengua en el cielo de la boca... Vincule su mente con la respiración, siguiendo su ritmo natural...

2 La respiración le hace ascender hasta un lugar exento de las exigencias de la vida cotidiana... Descanse en ese tranquilo lugar de reflexión... Piense en una situación o área de su vida en la que carezca de confianza en sí mismo... Perciba cualquier pensamiento o emoción asociados a ella... ¿En qué partes de su cuerpo percibe una reacción?

3 Dirija la atención al centro del corazón, situado en el esternón... Imagine un símbolo de valor y confianza... Sienta cómo el poder de ese símbolo resuena en su corazón... Sienta la potencia del valor que se transmite por todo su cuerpo... Véase como alguien capaz de superar la situación con confianza y dotado de una tranquila seguridad...

4 Inspire y levante los brazos en cruz, a la altura de los hombros... Espire y levante los brazos por encima de la cabeza, entrelazando los dedos y volviendo las palmas hacia el techo...

5 Suelte el aire contenido haciendo bajar los brazos con un movimiento suave y constante, como si estuviera moviéndose dentro del agua...

6 Sitúe las manos por detrás de los glúteos y entrelace los dedos... Tenga cuidado de no rotar los hombros hacia delante... Apriete los hombros el uno hacia el otro, para abrir el pecho... Al mismo tiempo, intente extender los músculos dorsales, creando espacio entre sus omoplatos...

7 Inspire profundamente... Eleve y abra el pecho, activando así el centro del corazón...

4

8 Inspire y espire durante ocho ciclos, teniendo en mente siempre la imagen del valor y la confianza... (Con el tiempo, puede ampliar el tiempo dedicado a esta postura hasta 5 minutos.)

9 Afirme su valor pronunciando el «Om» tres veces, en voz alta o baja...

10 Para salir de esta postura, desenlace las manos... Suavemente, recupere la vertical y vaya sentándose en la posición original, con las piernas cruzadas... Estire las piernas por delante con las rodillas flexionadas... Con cuidado, haga rebotar suavemente las rodillas en el suelo para liberar cualquier tensión que pudiera haberse acumulado en ellas.

6

La timidez y la sensibilidad

Internet es una buena fuente de información sobre cómo ayudar a los individuos tímidos a socializar con otros. Las siguientes meditaciones ayudan a superar la timidez:

a) Cambiar el punto de vista   b) La rosa de la separación   c) Desafiar al crítico interior

Cambiar el punto de vista

Origen: Combinación de técnicas energéticas del misticismo occidental.

Objetivo: Ayudar a superar la timidez

Frecuencia de uso: Úsese siempre que sea necesario

Duración: Mantenga la meditación de 10 a 15 minutos

Referencia cruzada: Use «Cuente su respiración» (pág. 27) y «La cuerda de anclaje» (pág. 41)

Grado de dificultad 1: Imaginería guiada fácil de seguir

Tratamiento complementario: «La rosa de la separación» (pág. 111)

Remedio rápido

1 Elija su postura de meditación favorita. Cierre los ojos... Practique «Cuente su respiración« para relajarse y centrarse. Cree su cuerda de anclaje.

2 Visualice un extenso cielo azul cobalto en un día sin nubes... Toque ese cielo con su mente un instante y luego suéltelo... La amplitud del cielo azul le recuerda que también la mente tiene la capacidad de ampliar los puntos de vista... Usted no está limitado a sus pensamientos...

3 Piense en una circunstancia social que le asuste... Imagine esas desagradables sensaciones físicas y emocionales que experimentaría... Respire hondo... Cuando espire, dirija la energía de la angustia haciéndola bajar por la cuerda de anclaje hasta el suelo...

4 Libere la energía de cualquier inquietud con sus pensamientos, sentimientos o reacciones físicas... Libérese de la necesidad de actuar o comportarse «a la perfección».

5 Imagine que está rodeado por una burbuja de hermosos colores... Esta burbuja le proporciona la sensación de aislarse de la situación... En el interior de esa burbuja es libre de ser como es... Está exento de toda vergüenza... Puede respirar y concentrar su atención en lo que dice la otra persona... Puede concentrarse en el momento presente, sin inquietarse por lo que dirá luego...

6 Véase comportándose como no lo ha hecho nunca antes... Véase interactuando con éxito con otros... Permita que la charla se centre en los demás y siéntase cómodo al hacerlo, sabiendo que a la mayoría de personas les gusta hablar de sí mismas...

7 Imagine que, dentro de la seguridad de esa burbuja, se siente tranquilo, relajado... Si siente alguna molestia, limítese a reconocer que la siente y envíela a bajar por la cuerda de anclaje... Usted es quien manda... Es libre para revelar lo mucho o lo poco que quiera de usted...

8 Cuando salga de esa circunstancia, imagine que se marcha libre de toda inquietud... Esa burbuja podrá llevarla a cualquier reunión social... Cada vez que practique la técnica, considere que, poco a poco, se va sintiendo más a gusto con los demás y es más competente en sociedad...

9 Vuelva a centrar su atención en la simple inspiración y espiración del aire... Abra los ojos... Concédase unos instantes para readaptarse a su entorno.

La rosa de la separación

Origen: Dentro del esoterismo occidental, la rosa es símbolo del alma, de forma muy parecida a la flor de loto oriental, que representa la consciencia en expansión.

Objetivo: Contribuir a fomentar la confianza en uno mismo al interactuar con otros

Frecuencia de uso: Practicar regularmente este ejercicio

Duración: Entre 10 y 15 minutos

Referencia cruzada: Use «La respiración abdominal» (pág. 29) y «La cuerda de anclaje» (pág. 41)

Grado de dificultad 2: Mantener la concentración

Tratamiento complementario: «La aceptación de uno mismo» (pág. 105)

Dentro del esoterismo occidental, la rosa es símbolo del alma, de una forma similar a la flor de loto oriental, que representa la consciencia en expansión. La meditación de «La rosa de la separación» es especialmente útil para ayudar a los individuos tímidos a reducir su grado de hipersensibilidad cuando se relacionan con otros.

La primera vez que practique esta meditación, es posible que desee trabajar con una rosa real, de tallo largo.

1 Elija su postura meditativa favorita. Cierre los ojos... Practique «La respiración abdominal»...

2 Imagine una luz dorada que nace en el centro del corazón, situado en el esternón... Sienta el calor de esa luz, que va llenando su cavidad torácica y se extiende por todo su cuerpo...

3 La luz sigue irradiándose más allá de su cuerpo, creando en torno a él una burbuja energética... La luz también se irradia por encima de su cabeza, por debajo de sus pies, a ambos lados, delante y detrás de su cuerpo.

4 Esta burbuja es un entorno seguro... Aquí, dentro de ella, está su energía. Más allá de los límites de la burbuja está la energía del mundo...

5 Cree la imagen de una rosa preciosa, de largo tallo... Haga que la rosa tenga el tamaño de su cuerpo... Sature la rosa de colorido... Sea consciente de qué hermosos son los pétalos... Aprecie su suavidad

aterciopelada y las gotas de rocío condensadas sobre ellos... Fíjese en las espinas y en las hojas...

6 Coloque la rosa en el extremo de su burbuja personal... Cree un tallo largo para la flor, que llegue hasta la tierra...

7 Sienta las cualidades protectoras de la rosa... Disfrute descansando en la energía de la burbuja, aislado de los estímulos del mundo exterior...

8 Imagínese participando en una reunión social... Su rosa se yergue en el extremo de su espacio personal... La rosa absorbe y reduce toda la atención que otros le prestan. El tallo de la flor dirige la energía de esa atención por el tallo abajo, liberándola en la tierra... Esto le permite a usted estar separado de las energías externas... Es libre para concentrarse en lo que le dice la otra persona y para expresarse sin tapujos...

9 Piense que, vaya donde vaya, usted lleva esa rosa consigo... Si la rosa se satura de energía y empieza a marchitarse, libérela y cree una nueva...

10 Cuando esté listo, vuelva a concentrarse en el ritmo de la respiración... A medida que recupere la consciencia de su entorno, mantenga la rosa situada en el borde de su espacio... Practique la técnica de llevar consigo esta rosa todo el día.

Desafiar al crítico interior

Origen: Imaginería guiada. Suaviza la autocrítica y fomenta la aceptación y la expresión de uno mismo.

Objetivo: Contribuir a reducir la timidez

Frecuencia de uso: Úsese siempre que sea necesario

Duración: Practique durante 10-15 minutos

Referencia cruzada: Use «Observe su respiración» (pág. 28)

Grado de dificultad 2: Requiere la capacidad de mantener la concentración

Tratamiento complementario: «La aceptación de uno mismo» (pág. 105)

1 Elija su postura de meditación favorita... Cierre los ojos... Practique «Observe su respiración»...

2 Reciba la plenitud del aliento en lo más profundo de su cuerpo... Permita que ese oxígeno le limpie y rejuvenezca... Si empieza a pensar en otra cosa, vuelva a concentrarse en la respiración... Cada vez que tome aire, imagine que está ampliando su capacidad de aceptarse tal y como es en este momento...

3 Evoque un símbolo que represente a su crítico interior... Quizá le dé forma de animal, persona o color... ¿Qué cualidades le asignaría a ese crítico interior?

4 Invite a ese crítico a que converse con usted... Salúdele y pregúntele cuánto tiempo lleva con usted... ¿Cuál ha sido su objetivo?... ¿Qué es lo que más teme que le pueda pasar a usted?... Quizá es el miedo al rechazo... Quizá el crítico entiende que, cuando usted era pequeño, no le permitió tener necesidades... Es posible que el crítico le haya enseñado el perfeccionismo como forma de defensa...

5 Agradezca al crítico el intento de protegerle y haberle servido todos estos años... Manifieste su respeto por esos esfuerzos...

6 Piense de qué manera podría actualizar la misión de ese crítico para que refleje de forma más precisa sus necesidades actuales... Quizá el crítico pueda seguir aconsejándole, pero sin acritud ni condena... Quizá pueda abogar por el discernimiento que le guíe para tomar decisiones... Quizá pueda ayudarle a descubrir el punto de vista más correcto frente a una situación. Ese crítico puede convertirse en su maestro, enseñándole cómo refinar su tacto y su diplomacia.

7 Usted puede elegir las cualidades y roles nuevos que le parezcan más pertinentes para ese crítico... Y lo que es incluso más importante: el crítico interior debe ser un comentarista positivo, no destructivo.

8 Dé gracias al crítico interior por haber conversado con usted... Tómese un momento para reflexionar sobre el encuentro...

9 Vuelva a concentrarse en su respiración y en la subida y bajada suave de su abdomen... Cuando esté listo, abra los ojos y tómese su tiempo para readaptarse. Cada vez que oiga esa dura voz de la crítica, simplemente haga una pausa y admita la información que ésta le proporcione. Dé gracias al crítico por su interés. Recuérdese a sí mismo y al crítico ese nuevo papel, y siga con su vida.

La compasión por uno mismo y por otros

Las siguientes meditaciones fomentan la compasión:

a) El corazón compasivo   b) La meditación del pensamiento-semilla

El corazón compasivo

Origen: Se basa en las prácticas compasivas formales del budismo.

🚶 **Objetivo: Despertar y cultivar la compasión**

🔄 **Frecuencia de uso: Puede usarse regularmente**

⏱ **Duración: Mantenga la práctica 15 minutos o más**

↔ **Referencia cruzada: Use «Manos abiertas» (pág. 24) y «La respiración abdominal» (pág. 29)**

① **Grado de dificultad 2: Requiere la capacidad de mantener la concentración**

🍃 **Tratamiento complementario: «Abrir el corazón» (pág. 98)**

1 Elija la postura de meditación que más le guste. Sitúe las manos en la posición «Manos abiertas»... Cierre los ojos... Sitúe la lengua sobre el paladar y practique «La respiración abdominal».

2 Empiece afirmando en silencio que esta práctica va destinada a beneficiar a todos los seres sensibles.

3 Ahora dirija su respiración al centro del corazón, situado en el esternón... Levante los brazos hasta la altura del pecho con las palmas mirando hacia abajo... Mantenga las manos en esa posición para reunir la energía del corazón... Dentro de su corazón brilla firmemente una luz suave y blanca... Una hermosa flor rodea y protege esta llama... La llama empieza a ser

3

4

6

cada vez más fuerte, con cada respiración... Las pétalos de la flor de abren para revelar una intensa luz...

4 Vuelva las palmas hacia arriba y colóquelas una al lado de otra a la altura del corazón... Sienta cómo la luz del corazón desprende calidez y consuelo... Oiga y sienta la palabra «Amo», que nace con cada latido de su corazón... La energía de ese amor suaviza todos esos lugares del corazón que la pérdida o la tristeza han cerrado o endurecido... Esos lugares se abren como una flor etérea, que florece a impulsos del amor...

5 Ábrase a cualquier emoción o pensamiento que aparezca... Tenga paciencia... Deshágase de cualquier necesidad de protegerse de heridas pasadas que puedan haber quedado encerradas en su corazón... Haga sitio para todo aquello que surja, que debe aceptar sin emitir juicios de valor... El amor y la compasión que se hallan en el corazón generan valor...

6 Abra los brazos situando las manos a los lados, conectando con la energía universal... Abra su corazón para experimentar la pena y el sufrimiento del mundo, incluyendo los suyos propios... Pronuncie estas palabras: «Que me vea libre del sufrimiento y de su origen»... Respire enviando el aire a la plenitud de estas palabras, manteniendo el corazón abierto...

7 Concentre su atención en sus vecinos y la sociedad pidiendo: «Que mis vecinos y mi sociedad se vean libres del sufrimiento y del origen de éste»... Una vez más, respire enviando el aire a la plenitud de estas palabras permitiendo que el corazón siga abierto...

8 Por último, despierte su compasión por todos los seres de este universo diciendo: «Que todos los seres se vean libres del sufrimiento y del origen de éste»... Respire enviando el aire al dolor universal propio de la tristeza y del sufrimiento, haciendo sitio en su corazón para extender su compasión a todos los seres, grandes o pequeños...

9 Libere estas palabras situando sus manos en la postura de la oración... Respire hondo... A su manera, dé gracias por lo que ha experimentado en la meditación... Cuando esté listo, abra los ojos y estírese lenta y agradablemente...

Hay muchas religiones y culturas que contienen enseñanzas sobre la importancia del amor por los demás. Estos son unos pocos ejemplos.

El budismo dice: «No hieras a otros de maneras que a ti te parecerían perjudiciales». Udana-Varga 5. 18

El cristianismo enseña: «Lo que quieras que los hombres hagan por ti, hazlo tú también por ellos; porque esto es la ley y los profetas». Mateo 7, 2

El taoísmo proclama: «Considera la ganancia de tu prójimo como la tuya propia, y su pérdida como si fuera tuya».
T'ai Shang Kan Ying P'ien

La meditación del pensamiento-semilla

Origen: Hunde sus raíces en la tradición de la cábala judía; se emplea ampliamente en la meditación esotérica y el yoga Agni como una forma trascendente de meditación activa. El propósito es penetrar tras el velo que separa la mente inferior de la superior para inducir una mayor consciencia de uno mismo.

Objetivo: Profundizar la comprensión de la compasión

Frecuencia de uso: Úselo una vez al día durante tres semanas y luego cuando lo necesite

Duración: Practique durante 10-20 minutos

Referencia cruzada: «Manos abiertas» (p. 24), «La estrella del alma» (p. 122) y «Observe su respiración» (p. 28)

Grado de dificultad 2: Requiere la capacidad de mantener la concentración

Tratamiento complementario: «El corazón compasivo» (p. 113)

Para realizar este ejercicio necesitará una hoja de papel y un lápiz o bolígrafo. Antes de comenzar la meditación, escriba la palabra «compasión» en letras grandes, dejando un espacio entre cada letra.

Esta meditación comienza con «La estrella del alma». Resulta útil practicar esta meditación hasta que logre recordarla fácilmente por sí solo. «La estrella del alma» vuelve a aparecer en la sección *La confianza* (pág. 122).

Para sacarle el máximo partido, practique esta meditación una vez al día durante tres semanas, anotando sus experiencias en un diario. Puede explorar la cualidad de cualquier palabra sustituyéndola por «compasión».

1 Elija su postura meditativa sentada favorita. Cierre los ojos... Sitúe la lengua en contacto con el paladar. Respire hondo y exhale lentamente.

2 Empiece con la meditación «La estrella del alma». Visualice una luz clara y blanca a unos 25-30 cm por encima de su cabeza. Ésta es la estrella del alma, la luz de su «yo superior»... A medida que se concentra en la luz, ésta se va ampliando...

3 Concéntrese en la firmeza de esta luz pura y amorosa. La próxima vez que inhale, haga descender la luz hasta el centro del corazón, situado en el esternón... Sienta cómo esa luz magnifica sus sentimientos de cariño... Centre la atención

en su mente... Afirme que está elevando su consciencia desde la mente inferior a la superior...

4 Dibuje una línea de luz que parte de su paladar hacia arriba, llegando a un punto a unos 25-30 cm sobre su cabeza... Esta luz forma una nube magnetizada de consciencia, desde la cual podrá concentrarse en el pensamiento-semilla...

5 Abra los ojos... Mire intensamente la palabra escrita en el papel durante unos segundos y luego cierre los ojos. Mentalmente diga: «Busco el significado de la palabra "compasión"»... Concéntrese en esta palabra...

6 Sitúe la palabra en el centro de su mente. Véala... Asimílela... Mentalmente, repítala varias veces... Que la palabra se convierta en mantra... Óigala... Permita que deje huella en usted...

7 Sienta la vibración de la palabra... La vibración es la cualidad de la palabra... ¿Qué cualidades tiene la compasión?... ¿Es suave y perdonadora?... ¿Es expansiva y lo abarca todo?...

8 Teniendo la palabra en mente, concentre su atención primero en una letra, luego en otra... El pensamiento-semilla se expande hasta que su mente ya no puede contener su tamaño...

9 En silencio, formule una serie de preguntas... Tras cada una, deténgase para recibir cualquier impresión en su consciencia... ¿Cómo experimento esta palabra?... ¿Cómo se expresa la compasión en el mundo?... ¿Cuál es la fuente última de esta palabra?... ¿Por qué existe esta esencia?... ¿Cuál es mi siguiente paso para experimentar y manifestar esa esencia en mi vida cotidiana?...

10 Tómese todo el tiempo que necesite para responder a estas preguntas y escuche la respuesta. Si lo desea, repita cualquiera de las preguntas para intentar analizarla más a fondo.

11 Intente conectar con el significado más profundo de esta palabra... El conocimiento puede llegar bajo la forma de palabras, imágenes, sonidos, estructuras, melodías, sentimientos, símbolos abstractos, impresiones..., incluso gustos y olores.

12 Al concentrarse en esa palabra, presiona su mente superior sobre el pensamiento y deja una huella... Sienta cómo se va elevando... A su vez, la palabra «compasión» deja huella en su consciencia...

13 Cuando esté listo... descentre su atención del pensamiento-semilla... Despréndase del símbolo de la estrella del alma... Vuelva a la simple inspiración y espiración del aire... Tómese su tiempo para abrir los ojos y readaptarse... Tómese unos minutos para anotar las imágenes, respuestas e impresiones que ha recibido de esta meditación.

Las relaciones personales

Las siguientes meditaciones proporcionan un respaldo a sus relaciones personales:

a) La comunicación clara   b) Liberarse de los viejos vínculos

La comunicación clara

Origen: Una mezcla de prácticas energéticas orientales y occidentales destinadas a fomentar la comunicación clara en las relaciones interpersonales.

Objetivo: Potenciar la comunicación clara

Frecuencia de uso: Úsese siempre que sea necesario

Duración: Prolongue el ejercicio durante aproximadamente 10-15 minutos

Referencia cruzada: Use «Las manos en forma de copa» (pág. 25) y «La respiración abdominal» (pág. 29)

Grado de dificultad 2: Requiere la capacidad de mantener la concentración

Tratamiento complementario: «La esponja mental» (pág. 61)

1 Empiece en su posición sentada preferida... Cierre los ojos... Practique «La respiración abdominal».

2 Piense en una relación personal o profesional importante que requiera su atención, que esté pasando por cambios o en la que le gustaría que éstos se produjesen...

3 Con el ojo de su mente, cree una burbuja iridiscente, como si fuera de jabón, justo delante de sus ojos... Cree una segunda burbuja y sitúela a la izquierda... Cree una tercera y colóquela a la derecha...

4 Imagine que la burbuja de la izquierda le representa a usted... Haga que la burbuja de la derecha represente a la otra persona... La burbuja central representará la comunicación presente en su relación...

5 Dibuje una línea que vaya desde la parte inferior de la burbuja de la relación hasta el suelo. Esta cuerda de anclaje empieza a aclarar y liberar la energía de todas las comunicaciones pasadas hasta este momento... Los malentendidos se desvanecen... Observe todos los pensamientos, sentimientos o sensaciones que se vayan generando...

6 Si hay alguna cuestión o malentendido que haya que resolver, visualice el conflicto como si fuera un color y hágalo bajar por la cuerda de anclaje hasta el suelo... Pregúntese cómo podría haberse clarificado la comunicación... Reciba la información y siga adelante...

7 Pregúntese si su corazón está dispuesto a cambiar en esa relación... ¿Está libre de toda necesidad de controlar la relación?... ¿Está dispuesto a compartir el poder?... ¿La otra persona parece dispuesta a compartirlo? Si no es así, ¿cuál es el siguiente paso que debe dar usted en esa relación?...

8 Mientras la burbuja de la relación se va limpiando y renovando, la energía que usted ha invertido en la relación regresa a ella... La energía de la otra persona también vuelve a su burbuja respectiva... Esta redistribución de energía permitirá una comunicación nueva y clara, así como una nueva inversión emocional y mental.

9 Ahora, elija un color y métalo en su burbuja... Elija un color que represente a la otra persona y métalo en la burbuja de ella... Ahora, elija un color que represente la comunicación entre ambos e insértelo en la burbuja de la relación...

10 Estos colores aportan sanación... Meta en la burbuja de la relación todas las cualidades de la comunicación que le gustaría tener...

Redefina el tono de la relación, de modo que sus interacciones pretendan alcanzar el mayor beneficio de cada interlocutor.

11 Libere la imagen de la burbuja y vuelva a concentrar la atención en su respiración... Cuando esté listo, readáptese a su entorno.

Liberarse de los viejos vínculos

Origen: Tradición chamánica de los nativos norteamericanos.

Objetivo: **Liberarse de una relación pasada**

Frecuencia de uso: **Puede usarse diariamente, hasta conseguir los resultados apetecidos**

Duración: **Mantenga la práctica de 10 a 15 minutos**

Referencia cruzada: **Use «Observe su respiración» (pág. 28)**

Grado de dificultad 1: **Es una técnica que se domina fácilmente a base de práctica**

Tratamiento complementario: **«Los centros vitales del cuerpo» (pág. 17)**

Según las tradiciones chamánicas, mientras forjamos una relación íntima vamos creando una serie de cordones energéticos. A través de ellos, los individuos se comunican silenciosa y energéticamente. Estos cordones pueden compararse a hebras de sedas que son finas pero al mismo tiempo resistentes. La técnica siguiente enseña cómo cortar o romper esos cordones, para contribuir a la separación y seguir adelante.

1 Elija su postura de meditación favorita... Cierre los ojos... Practique «Observe su respiración»...

2 La cima de la respiración llega al final de una inspiración y antes de la siguiente espiración... El punto más bajo llega al final de la exhalación y antes de la siguiente inspiración... Note que hay una pausa natural que tiene lugar tanto en la cima como en el punto más bajo de la respiración... Empiece a ampliar la duración de las pausas, de modo que la respiración se convierta en algo circular, incesante... Relájese en esa sensación espaciosa de intemporalidad...

3 Piense en una relación que le gustaría liberar... Imagine que ve a ese individuo... Perciba si se encuentra lejos o cerca...

4 Imagine que puede ver y sentir las conexiones energéticas a través de las que se ha comunicado en el pasado... Puede experimentar esas primeras conexiones como nostalgia, cosquilleo, dolor o quemazón... Puede ver los cordones como las finas hebras de una telaraña, que les conectan a ambos...

5 Si elige cortar esas hebras, tome un cuchillo imaginario y, sin exabruptos, vaya cortando las hebras que existen entre usted y la otra persona... (Si cortar le parece demasiado agresivo, retuerza suavemente cada hebra hasta que se rompa y désela a la otra persona)... Cada vez que rompa una hebra, respire hondo para limpiar su cuerpo...

6 A medida que se sueltan las hebras, su fuerza vital regresa a usted de forma natural, así como también la de la otra persona...

7 Sea consciente de todas las sensaciones que puedan surgir mientras va alterándose la energía... Afirme que está dispuesto a soltar todos los vínculos (físicos, emocionales, mentales y espirituales)... Mientras se libera energéticamente de la otra persona, pida una bendición: que los dos reciban el mayor beneficio posible.

8 Cree un sol brillante y dorado por encima de su cabeza... Atraiga la luz sanadora del sol, haciéndola entrar en su cuerpo, dirigiendo su energía a esos lugares en los que soltó hebras... La luz limpia y sana esos centros energéticos...

9 Concentre su atención en la simple inspiración y espiración del aire... Perciba la cima y el punto más bajo de cada respiración... Amplíe las pausas en esos puntos... Sienta el peso de su cuerpo, desde la coronilla a los pies... Cuando esté listo, abra los ojos y tómese unos instantes para reajustarse.

Puede modificar esta meditación para «limpiar» las hebras energéticas en lugar de cortarlas. Siga los pasos anteriores. Cuando llegue al paso 5, cree una bola energética dorada. Envíela por las hebras que le conectan con la otra persona, yendo y viniendo, limpiándolas y aclarando la comunicación entre ambos. Acabe con los pasos 7, 8 y 9.

La confianza

Las siguientes meditaciones ayudan a potenciar la confianza:

a) La estrella del alma: conectar con el «yo superior»   b) Potenciar la confianza

c) Crear límites saludables

La estrella del alma: conectar con el «yo superior»

Origen: Nace de las prácticas del cristianismo esotérico como arquetipo del alma, usadas para recordar al practicante su poder interior y la naturaleza de su verdadero yo.

Objetivo: Profundizar la confianza en un poder superior que le guíe.

Frecuencia de uso: Al principio úselo una vez por semana y luego diariamente si lo desea

Duración: Mantenga la práctica durante 10-15 min.

Referencia cruzada: «Manos abiertas» (pág. 24) y «La respiración abdominal» (pág. 29)

Grado de dificultad 2: Requiere la capacidad de mantener la concentración

Tratamiento complementario: «Abrir el corazón» (pág. 98)

Existen muchos grados de consciencia que forman el yo. La tradición Huna, que nace de la antigua sabiduría esotérica de Polinesia, define esos tres grados como «las tres personalidades de Huna». Estos tres grados son el yo básico, el consciente y el superior. El yo básico «recuerda», el consciente «imagina» y el superior «inspira».

1 Elija su postura sentada preferida. Cierre los ojos... Practique «La respiración abdominal»...

2 Visualice una luz brillante y blanca, a unos 25-30 cm directamente por encima de su cabeza. Ésta es la estrella del alma, la luz de su yo superior... La luz destella como mil puntos de un diamante brillante... Cuando usted se concentra en la luz, ésta empieza a intensificarse...

3 Concéntrese en la constancia de esta luz pura y amante... Haga bajar esta luz hasta el centro de su corazón, situado en el esternón... La luz de la estrella de su alma llena su pecho, abriendo la magnífica flor de su corazón.

4 Los pétalos de esa flor crean una copa donde se recogen las gotas de rocío de la estrella del alma.

La luz de la estrella llena su copa con un amor superior. La luz se irradia para envolverle con su benevolencia... Esta luz brilla con firmeza, aportando seguridad y confianza... Esta luz superior siempre está disponible para ofrecerle guía y respaldo... Sienta que esa luz es confiable hasta un punto muy superior al que pueda imaginar en alguien o algo...

5 La pureza y el amor de esa luz se llevan por delante las heridas y decepciones pasadas, ofreciendo renovación y esperanza... Respire hondo varias veces para recibir esa limpieza y para liberar las experiencias pasadas... Reciba las gotas de rocío de la estrella del alma... La confianza no es algo que se forje de inmediato, sino que va creciendo naturalmente... Con el tiempo, llegará a conocer y fiarse de la integridad de esta luz para guiarle...

6 Interrumpa la conexión con la luz de la estrella del alma... Mientras la luz se aleja lentamente, vuelva a centrar la atención en la respiración... Siga la simple inspiración y espiración, dado que éstas ayudan a asimilar la experiencia de la luz... Sea consciente de todo su cuerpo y de lo que le rodea... Suavemente, abra los ojos y concédase unos instantes para reajustarse.

Potenciar la confianza

Origen: Occidental. Ayuda al practicante a acceder a la sabiduría y favorece la dirección de un guía interior.

Objetivo: Aumentar la confianza en sí mismo

Frecuencia de uso: Puede usarse regularmente

Duración: De 10 a 15 minutos

Referencia cruzada: Use «Manos abiertas» (pág. 24) y «Concentrarse en un objeto» (pág. 38)

Grado de dificultad 2: Hay que mantener el centrado

Tratamiento complementario: «Transformar el miedo» (pág. 102)

1 Empiece con su postura meditativa preferida. Cierre los ojos... Sitúe la lengua sobre el paladar y practique «Contar la respiración».

2 Siga la respiración mientras ésta le conduce a una puerta iluminada dentro de su corazón... La respiración le hace cruzar el umbral y, suavemente, le deposita en un exuberante prado de mullido césped... Aquí le invade una sensación de plenitud y de vinculación con todo lo que le rodea y lo que lleva en su interior. Localice un lugar cómodo y descanse...

3 Alce la vista y vea una hermosa presencia que se le acerca... Ése es su guía interior... Ese guía puede ser hombre o mujer, animal o símbolo, o una forma de luz...

4 A medida que se aproxima el guía, invítele a sentarse con usted... Salude al guía con reverencia y respeto... Aprecie la sabiduría, amabilidad y compasión que desprenden de él... ¿Qué dones y habilidades especiales posee el guía interior?

5 Dígale al sabio que busca información sobre su capacidad de confiar en sí mismo y en otros.

Formúlele una serie de preguntas... Pídale que le muestre las maneras en las que ha traicionado su propia confianza en el pasado... ¿Qué pasos puede dar para fomentar la confianza en sí mismo? Deténgase para recibir respuestas o instrucciones.

6 Prosiga el diálogo con su guía... ¿Cómo puedo ser más compasivo conmigo mismo?... ¿Cómo puedo ser más competente al escuchar y responder a mis necesidades?... ¿Cuáles son las maneras más eficaces de expresar mis necesidades a otros? Haga una pausa para recibir las respuestas o instrucciones.

7 Si surge alguna otra pregunta, formúlela ahora... Dé las gracias a su guía interior por su presencia y comunicación...

8 Sienta una brisa suave que sopla a su alrededor... Le eleva y le transporta en las alas del viento hacia la puerta de luz en su corazón...

9 Descanse en la plenitud de su corazón, deteniéndose un instante para asimilar toda la información que ha recibido... Concentre su atención en la respiración... Cuando esté listo, abra los ojos... Si quiere, escriba lo que recuerda de su experiencia.

Crear límites saludables

Origen: Combinación de imaginería y prácticas energéticas orientales.

(🚶) **Objetivo: Contribuir a forjar límites saludables para fomentar la confianza**

(⏱) **Frecuencia de uso: Puede usarse regularmente**

(🕐) **Duración: Mantenga la práctica 5-10 minutos**

(↔) **Referencia cruzada: Use «Manos abiertas» (pág. 24) y «La cuerda de anclaje» (pág. 41)**

(1) **Grado de dificultad 1: Capacidad básica para visualizar**

(🍃) **Tratamiento complementario: «La rosa de la separación» (pág. 111)**

(➕) **Remedio rápido**

1 Elija su postura de meditación favorita...
Cierre los ojos... Sitúe la lengua sobre el paladar...
Siga el ritmo natural de su respiración mientras
desciende hasta su abdomen...

2 Tómese un momento para establecer una conexión
con su cuerda de anclaje...

3 Reciba la plenitud de la respiración en lo más
profundo de su cuerpo... Permita que la respiración
aporte limpieza y rejuvenecimiento... Con cada
respiración, imagine que amplía su capacidad
de aceptarse tal y como es en este instante...

4 Cree un sol brillante y dorado a unos
25-30 cm sobre su cabeza... Levante
las manos para tocarlo... Con su siguiente
inspiración, atraiga el sol al centro de su corazón,
situado en su esternón...

5 El sol irradia luz desde su corazón, abriéndose por
encima de su cabeza y alrededor de su cuerpo...
Sitúe las manos delante del cuerpo, como si abrazase a
alguien... Dibuje las líneas imaginarias de una burbuja en
torno a esta luz... Suba los brazos por encima de la
cabeza y luego vaya bajándolos para definir los límites
de la burbuja... Descanse las manos en su regazo...
La burbuja pasa por encima de su cabeza y por debajo
de sus pies, delante y detrás de su cuerpo y a ambos
lados, formando una barrera protectora...

4

Acuérdese de una ocasión en la que se sintió confiado y tranquilo... Piense en alguien a quien quiere y en quien confía de forma natural... Si esto le resulta difícil, podría imaginar un animal o la figura de alguien ficticio que represente la confiabilidad... Sienta su presencia en el extremo de su burbuja, montando guardia...

7 En su presencia usted se encuentra totalmente a salvo y aceptado por ser quien es... Las heridas y traiciones pasadas desaparecen, dejándole libre para experimentar las posibilidades del momento presente... Respire en el amplio espacio de este momento...

8 Recuerde una experiencia en la que sintió que violaban su confianza... Permita que vuelvan a surgir las emociones... Insufle aire a esa experiencia, liberando la angustia a través de su cuerda de anclaje...

9 Considere el quid de la cuestión... ¿Cuál fue la peor parte de que traicionasen su confianza?... ¿Qué creencia negativa forjó como resultado de la experiencia?... Quizá fuera «No puedo confiar en nadie»... ¿Qué opinión adquirió de sí mismo?... Quizá la de «No

puedo confiar en mí mismo» o «No puedo fiarme de mi buen juicio».

10 Libere la energía de todo temor o dudas sobre sí mismo haciéndola bajar por su cuerda de anclaje... Considere lo que habría hecho de otra forma de haber tenido la oportunidad... ¿Habría dicho otra cosa?... Libere cualquier temor sobre el hecho de manifestar sus necesidades... Imagine que tiene la confianza suficiente para decir que no, sin temor a que le rechacen o desaprueben su conducta...

11 Imagine que va dando pasitos cortos para ir confiando gradualmente en su discreción... Véase atrayendo a otros que son nobles y confiables... Confíe en aceptar tales cosas en su vida...

12 Cuando esté listo, concentre su atención en la simple inspiración y espiración de su respiración... Abra los ojos... Si lo desea, mantenga esa burbuja alrededor durante el resto del día...

El impulso sexual

Estas posturas activan el segundo centro energético, que contiene la energía sexual. Las siguientes meditaciones potencian el impulso sexual:

a) Marjarasana: la postura del gato o de la vaca

b) Recargar y refinar la energía sexual

Marjarasana: la postura del gato o de la vaca

Origen: Es una postura empleada en una variedad de tradiciones yóguicas.

👤 **Objetivo: Activar y aumentar la potencia sexual**

🔄 **Frecuencia de uso: Puede usarse diariamente**

🕐 **Duración: Practique el ejercicio durante 2-3 minutos**

↔ **Referencia cruzada: Use «La respiración abdominal» (pág. 29)**

① **Grado de dificultad 1: Es una postura sencilla**

🌿 **Tratamiento complementario: «La limpieza y el equilibrado de los chakras» (pág. 34)**

➕ **Remedio rápido**

La Marjarasana es una excelente postura de yoga que contribuye a activar y potenciar la energía sexual. Abre la energía de la parte anterior y posterior del segundo chakra, situado entre el ombligo y el pubis de las mujeres, y en el pubis de los hombres.

Haga este ejercicio descalzo, con ropas cómodas, sobre una alfombrilla de yoga o una manta.

1 Colóquese sobre las manos y las rodillas. Sitúe las manos directamente en la vertical con los hombros... Las rodillas deben estar justo debajo de las caderas... Imagine una línea que discurre desde la parte posterior del cuello hasta su rabadilla, pasando por toda la columna...

2 Apunte hacia delante con los dedos de las manos y presione firmemente las manos y los dedos en el suelo. Si le resulta más cómodo, separe los dedos en abanico...

3 Respire hondo, estirando la columna desde la cabeza hasta la rabadilla... Mire hacia abajo, entre las manos... La siguiente vez que exhale, meta hacia dentro la rabadilla arqueando la espalda como un gato... Deje caer la cabeza y presione hacia el techo la parte central de su columna, en la postura del gato... Mantenga la pose tres segundos, haciendo que sus caderas y sus hombros se acerquen todo lo posible...

1

3

4 La próxima vez que espire, haga el movimiento contrario, mirando hacia delante y arqueando la espalda hacia el suelo... Haga descender el pecho, arquee la espalda ligeramente y eleve las caderas, en la postura de la vaca... Siga con el estiramiento a través del cuello, mirando hacia arriba (siempre que esto no tense demasiado sus cervicales)... Respire hondo tres veces, lentamente...

5 Repita estos pasos, alternando fácilmente entre la postura del gato y la de la vaca... Sincronice su respiración con sus movimientos, respirando lentamente y de forma natural por la nariz... Repita los movimientos en grupos de 10 durante 2-3 minutos...

4

Recargar y refinar la energía sexual

Origen: La tradición taoísta y la antigua práctica mística china de la meditación orbital microcósmica.

Objetivo: **Recargar y refinar la energía sexual**

Frecuencia de uso: **Puede usarse diariamente**

Duración: **Mantenga la postura 3-5 minutos**

Referencia cruzada: **Use «Manos abiertas» (pág. 24) y «La respiración abdominal» (pág. 29)**

Grado de dificultad 1: **Requiere cierto grado de flexibilidad**

Tratamiento complementario: **«Abrir el corazón» (pág. 98)**

Remedio rápido

1 Haga este ejercicio descalzo y con ropa cómoda... Sitúese con los pies separados a la altura de las caderas... Concéntrese en la energía de la tierra... ¿Qué sensación le produce hoy esa energía? Elija un color de tierra que le guste. Visualice ese color como si fuera una mansa fuente subterránea que surge atravesando los numerosos estratos de la tierra...

2 Póngase en cuclillas y sitúe las manos planas sobre el suelo delante de usted... Imagine que absorbe la energía de la tierra por las palmas de las manos y las plantas de los pies... Sus ojos miran ligeramente hacia arriba (o hacia delante, si mirar a lo alto le tensa el cuello) mientras respira simultáneamente en el chi celestial...

3 El flujo del chi telúrico sube por los tobillos, las pantorrillas, las rodillas y muslos y llega a la entrepierna... Aquí el chi se convierte en una bola de luz... La luz se reparte por sus órganos sexuales... Respire hondo, visualizando cómo el chi fluye por sus órganos sexuales aportando vitalidad y rejuvenecimiento... Envíe el resto de la energía de vuelta a la tierra...

4 El flujo constante de energía puede bloquear su capacidad de expresar plenamente su energía sexual... El chi telúrico limpia y se deshace de cualquier energía que haya inhibido su experiencia sexual...

5 Lentamente, empiece a ponerse de pie, moviendo las caderas hacia el techo... Flexione en todo momento las rodillas a fin de no tensar los músculos lumbares... Intente mantener las manos sobre el suelo y tener el cuello relajado.

6 Inspire y espire profundamente... Esta inclinación hacia delante abre el segundo chakra, entre el plexo solar y el pubis... permitiendo que la energía sexual se desborde.

Esta meditación contiene el Panj Shabad, uno
de los mantras más usados en la tradición yóguica
Kundalini (del fuego). Su propósito es sintonizar
con el ciclo de la creación pronunciando cuatro
palabras primarias del universo: Sa, Ta, Na, Ma.
El sonido Sa representa el nacimiento, el Ta la vida,
el Na la muerte y el Ma el renacimiento. Estos sonidos
van acompañados de gestos con las manos,
llamados mudras, que le ayudan al sellar su energía
en un estado de concentración.

7 Inspire y, suavemente, regrese a la
posición en cuclillas... Repita esta secuencia
de 3 a 5 minutos...

8 Salga de la posición sentándose cómodamente
en el suelo en una postura sencilla, con las piernas
cruzadas... Respire hondo unas cuantas veces
para completar el circuito energético.

La creatividad

Las siguiente meditaciones fomentan la creatividad:

a) Acariciar la creatividad universal   b) La maqueta   c) Despejar los canales creativos

Acariciar la creatividad universal

Origen: También conocido como el Panj Shabad, éste es uno de los mantras más usados en la tradición yóguica Kundalini (del fuego). Shabad significa «palabra» y se usa para referirse a la descripción verbal de Dios.

🚶 **Objetivo: Potenciar la expresión creativa**

🕙 **Frecuencia de uso: Puede usarse regularmente**

🕐 **Duración: Mantenga la práctica 5-10 minutos**

↔ **Referencia cruzada: Use «La respiración abdominal» (pág. 29)**

① **Grado de dificultad 1: Es una técnica fácil de aprender**

🌿 **Tratamiento complementario: «La maqueta» (pág. 132) y «El poder del Om» (pág. 136)**

➕ **Remedio rápido**

1 Empiece en su postura sentada preferida. Cierre los ojos... Concéntrese en su respiración para calmar la mente y relajar el cuerpo... Reciba la energía de la fuerza vital por todo su cuerpo.

2 Si percibe alguna tensión o bloqueo, limítese a concentrar la atención en esos lugares, insuflando aire en ellos... A medida que limpia su cuerpo, véase como un canal dispuesto para recibir la fuerza divina de la creatividad...

3 Empiece la secuencia de mudras haciendo que entren en contacto sus índices y pulgares (véase foto)... Éste es el primer mudra... Respire dirigiendo el aire a este mudra manual... Haga que sus pulgares toquen a sus dedos medios para formar el segundo mudra... Deténgase para respirar... Ahora tóquese los pulgares con los anulares para formar el tercer mudra... Por último, tóquese la punta de los pulgares con los meñiques, para formar el cuarto mudra.

4 Repita el proceso varias veces hasta que vea que sabe aplicar la secuencia... Luego añada los sonidos... Con el primer mudra diga «Sa»... Con el segundo, «Ta»... Con el tercero pronuncie «Na»... Y con el cuarto, «Ma».

5 Practique de nuevo los mudras con los sonidos «Sa», «Ta», «Na», «Ma»... «Sa», «Ta», «Na», «Ma»... Haga una pausa tras cada sonido y mudra manual...

6 Asocie los significados con los sonidos y los mudras. Sa significa nacimiento, Ta representa la vida, Na la muerte y Ma el renacimiento... Haga los mudras con los sonidos, pensando: «Nacimiento, vida, muerte, renacimiento». Estas palabras simbolizan las energías universales. Representan los ciclos de la naturaleza y los de la creación.

7 Salmodie esta secuencia de «Sa, Ta, Na, Ma» en voz alta durante varios minutos, haciendo pausas entre los mudras...

8 Salmodie «Sa, Ta, Na, Ma» susurrándolo varios minutos...

9 Salmodie «Sa, Ta, Na, Ma» en silencio varios minutos...

10 Concluya la meditación con un símbolo de gratitud.

10

La maqueta

Origen: Meditación del misticismo occidental para contribuir a la manifestación de una creación particular.

Objetivo: Fomentar una creación particular

Frecuencia de uso: Puede usarse semanalmente

Duración: Mantenga la práctica durante 10-15 minutos

Referencia cruzada: Use «Manos abiertas» (pág. 24) y «Los pies bien asentados» (pág. 30)

Grado de dificultad 2: Requiere la capacidad de mantener la concentración

Tratamiento complementario: «La meditación de la prosperidad» (pág. 134)

1 Empiece en su posición meditativa favorita... Cierre los ojos... Sitúe la lengua sobre el paladar... Respire hondo dirigiendo el aire hacia el abdomen... Mientras exhala, cree un vínculo que vaya desde sus pies al suelo.

2 Visualice la vasta expansión de un cielo azul un día despejado... Toque ese cielo un instante y déjelo... Esa vastedad nos recuerda que la mente puede ampliarse y alcanzar ese grado de apertura...

3 Tómese un momento para reflexionar sobre qué quiere crear... Visualice una burbuja transparente delante de usted... Esa burbuja será el contenedor de su maqueta.

4 Construya una imagen mental de su creación dentro de la burbuja... El uso de su imaginación no tiene límites... Cree esa imagen con todos los detalles posibles... Si no tiene claros los detalles, simplemente céntrese en su intención general para esa maqueta...

5 Véase recibiendo esa creación... Imagine cómo se sentiría al incluirla en su vida...

6 Cree una cuerda de anclaje para esta maqueta de burbuja, extendiendo una línea de energía entre el fondo de la burbuja y el suelo... Solicite que cualquier impedimento o bloqueo para recibir esa creación salga de su interior y de esa burbuja... Libere cualquier obstáculo interno o externo que le impida recibir esa creación...

7 Ponga una fecha en la que espera recibir esa creación... Llene la burbuja de un chi universal de un dorado brillante... La energía dorada hace que esa creación alcance su máxima vibración expresiva...

8 Cuando esté listo, suelte la burbuja como si se tratara de un globo lleno de helio. Observe cómo la burbuja va ascendiendo hasta el centro del universo... Aquí empiezan a reunirse las energías para manifestar la creación.

9 Despréndase de cualquier energía intelectual que cuestione cómo se producirá esa creación... Libere cualquier apego a ésta; siéntase confiado de que el universo proveerá lo suficiente... Abra los ojos y tómese unos instantes para reajustarse.

Despejar los canales creativos

Origen: Combinación de prácticas energéticas hindúes y chinas destinadas a despejar los canales creativos de los centros de los brazos y el corazón.

🚶 **Objetivo: Despejar los canales creativos del cuerpo**

🕐 **Frecuencia de uso: Puede usarse diariamente**

🕐 **Duración: Mantenga la práctica 10-15 minutos**

↔ **Referencia cruzada: Use «Manos abiertas» (pág. 24) y «Observe su respiración» (pág. 28)**

① **Grado de dificultad 2: Requiere concentración**

🍃 **Tratamiento complementario: «La limpieza y equilibrado de los chakras» (pág. 34)**

1 Inicie la práctica en su postura meditativa preferida... Cierre los ojos... Respire hondo y atraiga la luz del chi universal a través de su coronilla... La energía vital rejuvenece su cuerpo, derritiendo cualquier tensión o aspereza...

2 La respiración se convierte en una suave brisa que le eleva y le traslada a un lugar de su mente en calma y al margen de las actividades y los pensamientos cotidianos.

3 Dirija su atención al centro del corazón, situado en el esternón... Imagine que puede respirar a través de ese centro... El aliento enciende una luz que brilla dentro de su corazón... Atraiga el chi universal a esa luz del corazón... La esencia del universo se funde con su propia esencia creativa...

4 Esta luz creativa llega al hueco blando entre las clavículas... Aquí está situado el chakra del cuello, el centro de la expresión creativa... Usando el aliento, instile un color azul brillante a este centro, abriendo la flor de la creatividad.

5 La esencia creativa de la flor se libera... La luz azul fluye por los canales creativos situados detrás de las clavículas y a través de ellas... La luz limpia la energía rancia o estancada...

6 Ese río de luz fluye por los canales creativos de los brazos... La luz fluye abundantemente, proporcionando una suave limpieza... Cuando llega a sus manos, la energía creativa fluye a través de sus palmas y penetra en el espacio de la burbuja que le rodea...

7 La luz se transmite para llenar la burbuja... Disfrute de esta energía refrescante, que empapa la esencia creativa por todos los poros de su aura y su cuerpo...

8 Cuando esté listo, corte ese vínculo con la energía universal... Vuelva a concentrarse en las simples inspiraciones y espiraciones de su aliento... Abra los ojos y readáptese a su entorno.

La prosperidad y la abundancia

Las siguientes meditaciones ayudan a aumentar las energías de la prosperidad y la abundancia:

a) La meditación de la prosperidad   b) La meditación de la gratitud   c) El poder del Om

La meditación de la prosperidad

Origen: Un antiguo mudra de la India oriental. El Gyana mudra (pronunciado «yauna mudra») o mudra del conocimiento se usa en esta meditación para invocar y sellar la energía de la prosperidad.

🚶 **Objetivo: Fomentar el flujo de la prosperidad y la abundancia**

🕐 **Frecuencia de uso: Puede usarse regularmente**

🕐 **Duración: Practique durante 10-12 minutos y repita el ejercicio las veces que sean necesarias**

↔️ **Referencia cruzada: Use «La respiración abdominal» (pág. 29) y «El mudra del conocimiento» (pág. 25)**

① **Grado de dificultad 1: Es una técnica de fácil aplicación**

🌿 **Tratamiento complementario: «La maqueta» (pág. 132)**

➕ **Remedio rápido siempre que se use regularmente**

En esta meditación se emplea el mudra del conocimiento (Gyana mudra) para invocar y retener la energía de la prosperidad.

1 Elija su postura de meditación favorita... Descanse con los ojos cerrados y la lengua sobre el paladar... Practique «La respiración abdominal»...

2 Cuando se sienta lo bastante relajado, sitúe los índices y pulgares en la postura del mudra del conocimiento. Coloque los índices sobre las uñas de los pulgares, para que el mudra sea receptivo... Esto significa la unión de la consciencia individual con la cósmica. El símbolo receptivo representa «invitar al maestro», que se emplea de este modo para invitar a la esencia creativa interior.

3 Con ambas manos en la postura del mudra, cruce la mano derecha por delante de la izquierda...

Coloque ambas manos delante del centro del corazón, situado en el pecho... Respire hondo, recibiendo en sus manos la fuerza creativa...

4 Retenga firmemente en su mente aquello que quiera crear... Imagine un exuberante prado verde... Use el verde como símbolo de la prosperidad... Una brisa peina el campo, trayendo prosperidad a su corazón... Insufle el aliento a la imagen que intenta recibir... Haga que esa creación sea lo más real posible. Involucre todos sus sentidos. Permítase darle una forma... Véase recibiéndola... La emoción de su corazón le lleva hacia esta manifestación...

5 Abra los dedos en abanico y sitúe las manos mirando hacia arriba, con la mano izquierda sobre la derecha... Coloque las manos sobre el centro del corazón... Repita tres veces el sonido sagrado Om, en voz alta o en silencio. Abra los ojos y readáptese.

La meditación de la gratitud

Origen: Un gesto de gratitud que se encuentra tanto en las prácticas occidentales como en las orientales.

Objetivo: Cultivar la prosperidad mediante la gratitud

Frecuencia de uso: Puede usarse diariamente

Duración: 5 minutos o más

Referencia cruzada: Use «Manos abiertas» (pág. 24) y «La respiración abdominal» (pág. 29)

Grado de dificultad 1: Es una técnica de fácil ejecución

Tratamiento complementario: «Acariciar la creatividad universal» (pág. 130)

Remedio rápido

1 Empiece con su postura de meditación preferida. Cierre los ojos... Sitúe la lengua sobre el paladar... Concéntrese en su respiración mediante «La respiración abdominal»...

2 Cuando se sienta lo bastante relajado, concentre su atención en su centro del corazón, situado en su esternón... Visualice un hermoso color verde que irradia de su corazón... Imagine que puede respirar a través de su centro del corazón... El verde luminoso se extiende por su cuerpo cada vez que inspira y exhala...

3 Piense en alguien de su vida por quien está agradecido... Mantenga su imagen en mente... Cree un símbolo de gratitud y envíeselo desde su corazón...

4 Medite sobre un aspecto de su trabajo por el que se siente agradecido... Cree un símbolo y guárdelo en el corazón... Insufle la cualidad de la gratitud a ese símbolo, dando gracias por todo lo que valora.

5 Piense en una circunstancia que suponga un reto... Guarde en su corazón una imagen de ésta... Perciba cualquier dolor o molestia que rodee esa circunstancia... Respire enviando el aire a esa imagen, creando un espacio para aceptarla... En silencio, dé gracias por esta oportunidad y solicite una guía para superar ese desafío...

6 Ahora, tómese unos minutos para expresar su gratitud por todos los demás aspectos de su vida que desee expresar... Ninguna faceta de su vida es lo bastante pequeña para que usted no la aprecie.

7 Cuando esté listo, vuelva a concentrarse en las simples inspiraciones y espiraciones del aire... Elija un gesto para finalizar, como las manos situadas en la posición de orar, para expresar su gratitud por todo lo que recibió durante la meditación. Abra los ojos y concédase unos instantes para conectar con su entorno.

El poder del Om

Origen: Om es el símbolo sagrado y más destacable del antiguo idioma sánscrito. Cuando se pronuncia el Om como mantra, crea nuestra intención consciente. Cuando se pronuncia con claridad y concentración, el Om tiene la capacidad de materializar lo que usted busca.

🧍 **Objetivo: Potenciar la prosperidad y la abundancia**

🔄 **Frecuencia de uso: Puede usarse diariamente**

🕐 **Duración: Mantenga la postura 5 minutos, repitiéndola las veces que quiera**

↔️ **Referencia cruzada: Use «Manos abiertas» (pág. 24)**

① **Grado de dificultad 1: Técnica de fácil realización**

🍃 **Tratamiento complementario: «Acariciar la creatividad universal» (pág. 130)**

➕ **Remedio rápido**

El Om es el símbolo principal y sagrado del antiguo idioma sánscrito. Se ha dicho que el universo reconoce dos palabras: Om y Sí. El Om resuena con el infinito poder de la creación. Cuando el Om se salmodia como mantra, provoca nuestra intención consciente. El universo respalda lo que intentamos crear. El sonido se pronuncia como cántico y se prolonga indefinidamente.

Para recibir abundancia

1 Elija su postura meditativa sentada preferida... Siéntese con la espalda recta... Cierre los ojos... Sitúe la lengua sobre el paladar y respire hondo...

2 Tómese un momento para concentrarse en la amplitud de la respiración...

3 Mentalmente, cree un símbolo que represente la prosperidad y la abundancia... Mantenga esa imagen en el corazón... Respire enviando el aire a ese símbolo... Detecte las sensaciones que surjan... Quizá sea una sensación de excitación..., de paz..., de expectación positiva..., de anticipación placentera... Insufle aire a esas sensaciones...

4 Visualice el centro de su corazón, situado en el centro de su pecho, como una luz verde y hermosa... Imagine que puede respirar a través del centro del corazón... Sienta cómo se expande la abundancia por su cuerpo, con cada respiración...

5 Coloque las manos al nivel del centro de su corazón. Forme una copa con sus manos, con las manos mirando arriba y los meñiques tocándose... Sus manos se llenan con las energías creativas del universo... Reciba esta abundancia con gratitud, inspirándola en su cuerpo...

6 Acabe la meditación afirmando el Om. Pronuncie el Om tres veces, en silencio o en voz audible, dejando que en cada ocasión el sonido se prolongue infinitamente...

Las estrellas de cinco puntas

1 Inicie esta posición de pie, descalzo, con los pies separados... Levante los brazos para adoptar, junto con sus pies, la forma de una estrella...

2 Sitúe la lengua pegada al paladar... Respire hondo tres veces por la nariz para limpiar el organismo...

3 Extienda los brazos hacia arriba, en un gesto de recepción... Presione los pies con firmeza en el suelo, lo que representa el fundamento y la manifestación física...

4 Dirija la atención al centro del corazón, situado en el esternón... Imagine que respira con ese centro... El aliento de vida entra y sale por este centro...

5 Mantenga en el corazón un símbolo de abundancia y prosperidad... Inspire el chi universal llenando este símbolo... Sienta cómo el chi penetra por su cabeza y brazos y entra en su corazón...

6 Tome la energía de la abundancia en su corazón y diríjala para que baje por sus piernas (esto simboliza su expresión en el plano físico)... Canalice esta energía desde el cosmos hasta el corazón, pasando por el símbolo y bajando por sus piernas; repítalo durante 10 ciclos respiratorios...

7 Concluya la meditación pronunciando el Om tres veces, en silencio o en voz alta. Cuando lo pronuncie, coloque las manos sobre el corazón y luego, con el siguiente Om, extiéndalas de nuevo hacia el techo.

Bibliografía

Bailey, Alice A., *Cartas sobre meditación ocultista*. Málaga: Sirio, 2002.

Benson, Herbert, *La relajación*. Barcelona: Grijalbo, 1997.

Bourne, Edmund J., *Haga frente a la ansiedad*. Barcelona: Amat, 2004.

Bradshaw, John, *Volver a casa: recuperación y reivindicación del niño interno*. Madrid: Los Libros del Comienzo, 1994.

Brennan, Barbara Ann, *Manos que curan*. Madrid: Martínez Roca, 1990.

Carrington, Patricia, *Freedom in Meditation*. Nueva York: Anchor Press / Doubleday, 1978.

Chia, Mantak, *Despierta la energía curativa a través del Tao*. Madrid: Mirach, 1991.

Chikly, Bruno, *Lymph Drainage Therapy I; Study Guide*. International Alliance for Health Educators, 1996.

Chodron, Pema, *Los lugares que te asustan*. Barcelona: Oniro, 2002.

Chuen, Maestro Lam Kam, *Chi Kung, el camino de la energía*. Barcelona: RBA Integral, 1999.

Cleary, Thomas, *La esencia del zen*. Barcelona: Kairós, 1992.

Csikszentmihalyi, Mihaly, *Fluir: una psicología de la felicidad*. Barcelona: Kairós, 1997.

Dalai Lama, *Hacia la paz interior*. Barcelona: RBA Integral, 2002.

Farhi, Donna, *El gran libro de la respiración*. Barcelona: Robinbook,1998.

Fleischmann, Robert, y Japikse, Carol, *Active Meditation*. Cincinnati, Ohio: Ariel Press, 1982.

Haich, Elisabeth, *Iniciación*. Barcelona: Luciérnaga , 2000.

Hay, Louise L., *Usted puede sanar su vida*. Barcelona: Urano, 1992.

Jahnke, Roger O., *The Healing Promise of Qi*. Chicago: Contemporary Books, 2002.

Kabat-Zinn, Jon, *Vivir con plenitud las crisis*. Barcelona: Kairós, 2004.

Knaster, Mirka, *Discovering the Body's Wisdom*. Nueva York: Bantam Books, 1996.

McDonald, Kathleen, *Aprendiendo de los lamas*. Alicante: Dharma, 2004.

McKay, Matthew, Fanninf, Patrick y Paleg, Kim, *Couple Skills*. Oakland, California: New Harbinger, 1994.

Myss, Caroline, *Anatomía del espíritu*. Barcelona: Ediciones B, 1997.

Northrup, Christiane, *Cuerpo de mujer, sabiduría de mujer*. Barcelona: Urano, 2000.

Parrish-Hara, Carol, *Adventure in Meditation, Volumes I & II*. Tahlequah, Oklahoma: Sparrow Hawk Press, 1995, 1996.

Parrish-Hara, Carol, *The New Dictionary of Spiritual Thought*. Tahlequah, Oklahoma: Sparrow Hawk Press, 2002.

Pearsall, Paul, *El código del corazón*. Madrid: Edaf, 1998.

Powell, A. E., *Cuerpo astral*. Málaga: Sirio, 2002.

Santorelli, Saki, *Heal Thy Self; Lessons on Mindfulness in Medicine*. Nueva York: Bell Tower, 2000.

Siegel, Bernie, *Amor, medicina milagrosa*. Madrid: Espasa-Calpe, 1996.

Singh, Dharam, *The Kundalini Experience; Bringing Body, Mind and Spirit Together*. Fireside Publishing, 2002.

Tulku, Tarthang, *Tibetan Relaxation*. Londres: Duncan Baird Publishers, 2003.

Vaughan-Lee, Llewellyn, *Sufism; The Transformation of the Heart*. Inverness, California: The Golden Sufi Center, 1995.

Zukav, Gary, *El lugar del alma*. Barcelona: Plaza & Janés, 1992.

Agradecimientos

La autora desea manifestar su gratitud a Martin Barnes, Carol Parrish-Hara, Janet Weiss Quate y sus editores de Collins & Brown; también a sus profesoras de yoga Laura Mahr y Kristine Kaoverii Weber y a todos sus alumnos de meditación.

Me inclino ante lo divino en ti, Namaste.

Los editores desean expresar su gratitud:

Al doctor Lenington, por escribir el Prefacio.

A Kang Chen, por crear los símbolos.

A Trina D., por las ilustraciones.

Yoga Matters, suministradores de las prendas de la modelo
32 Clarendon Road
Londres
N8 0DJ
+44 (0) 20 8888 8588
www.yogamatters.com

Acerca de la autora

La doctora asistente Martina Glasscock Barnes, es consejera profesional licenciada y lleva estudiando y enseñando la meditación desde 1982. Es autora de *Meditation for the Western Mind* y de numerosos productos de audio sobre la meditación de la salud y la meditación basada en el bienestar. Tras ocupar el cargo de jefa de estudios meditativos en el Berkeley Psychic Institute, en Berkeley, California, Martina estudió en la escuela mistérica mundialmente prestigiosa Sancta Sophia. Sus enseñanzas, basadas en las ricas tradiciones del misticismo oriental y occidental, transmiten un punto de vista que es tan profundo como práctico. Trabaja como psicoterapeuta en consulta privada y como consejera voluntaria en un centro de cuidados paliativos sin ánimo de lucro, situado en Asheville, Carolina del Norte.

Acerca del doctor Lenington

El doctor Ken Lenington tiene un certificado del American Board of Psychiatry. Obtuvo su licenciatura en el Medical College of Wisconsin en 1977. El doctor Lenington ha practicado la psiquiatría general durante más de 20 años, en los que ha trabajado en calidad de director médico de centros psiquiátricos y hospitales. La National Alliance for the Mentally Ill (NAMI) le ha concedido el premio Exemplary Psychiatrist Award. El empleo de terapias biológicas y psicoespirituales de modo complementario es uno de sus intereses actuales y forma parte de su práctica médica. El doctor Lenington empezó a usar las técnicas meditativas en 1983 y sigue haciéndolo hoy día.

Índice